武林五賊

무림오적

무림오적 32

초판 1쇄 발행 2021년 7월 27일

지은이 ｜ 백야
발행인 ｜ 신현호
편집장 ｜ 이호준
편집부 ｜ 송영규 최종건 정재웅 양동훈 곽원호 조정범 강준석 최성화
편집디자인 ｜ 한방울
영업 · 관리 ｜ 김민원 조인희

펴낸곳 ｜ ㈜디앤씨미디어
등록 ｜ 2002년 4월 25일 제20-260호
주소 ｜ 서울시 구로구 디지털로 26길 111 JnK디지털타워 503호
전화 ｜ 02-333-2513(대표)
팩시밀리 ｜ 02-333-2514
E-mail ｜ papy_dnc@dncmedia.co.kr
홈페이지 ｜ www.ipapyrus.co.kr

값 8,000원

ⓒ 백야, 2021

ISBN 978-89-267-1877-3 04810
ISBN 978-89-267-3458-2 (SET)

1장 운수 나쁜 날 7

2장 화평장 이야기 39

3장 용담호혈(龍潭虎穴) 71

4장 재능 차이 103

5장 평량다관(平涼茶館) 133

6장 공동파(崆峒派)의 사람들 161

7장 복수의 일념(一念) 191

8장 은자 백만 냥 221

9장 복잡한 삶을 살아왔구나 249

10장 선상(船上)의 오찬(午餐) 281

1장.
운수 나쁜 날

운수 좋은 날이었다.
이렇게 좋은 날이 어디 또 있을까.
날씨는 따스했고 햇빛은 맑고 투명했다.
바람은 시원했고 하늘은 높았다.
이십 년의 내공을 쌓기에는 더없이 좋은 날이었다.

1. 배려

화평장의 이주 계획은 알게 모르게 진행되고 있었다. 그들이 제일 먼저 손을 댄 건 역시 황태자 주완룡이 하사한 보물들과 십삼대산에서 가지고 온 보물들의 처리였다.

설벽린은 감숙성 일대의 장물아비들을 만나러 길을 떠났고, 화군악과 장예추는 호광 지역의 장물아비들과 접촉하기 위해 장원을 나섰다.

그들은 호광성에 가는 김에 동정호 백귀도에 은거하고 있다는 귀영신의 초유동까지 만날 생각으로 유 노대를 설득, 함께 움직이기로 했다.

담우천은 나찰염요와 소화에게 자신의 임무를 설명하며 한 달에서 두 달 정도 집을 비우게 되었다고 이야기했다.

그의 이야기를 들은 나찰염요가 눈빛을 반짝이며 말했다.

"조 영감이라면 아직 연락될 거예요."

"그래?"

"네. 삼 년 전까지만 하더라도 몇 번 만난 적이 있으니까요. 아직 살아 있다면 여전히 아호(牙戶) 노릇을 하고 있을 거예요. 그러면 굳이 다른 장물아비들을 거치지 않더라도 한 번에 보물들을 다 팔아 치울 수도 있을 테고요."

나찰염요의 말에 담우천은 고개를 끄덕이며 동의했다.

"조 영감이라면 충분히 그럴 능력이 있지."

아호(牙戶)는 거간꾼과 비슷한 의미로 사용하는 단어인데 매매자 사이에서 중개하고 협상하여 상담이 이뤄지게 만들거나, 혹은 필요한 구매자나 판매자를 찾아 주는 대가로 수수료를 받는다.

그들이 일반 거간꾼과 다른 점이 있다면 유형의 물건뿐만 아니라 무형의 것들까지, 가령 사람의 목숨이나 신용이나 배신이나 정보 등등까지 중개한다는 점에 있었다.

"잘됐다. 그럼 조 영감에게 어떻게 연락을 취할 수 있는지 가르쳐 주게."

"그건……."

나찰염요가 문득 싱긋 웃으며 말했다.

"아무래도 제가 직접 가서 만나야 일이 수월하게 진행될 것 같은데요."

"음?"

담우천이 살짝 눈썹을 꿈틀거렸다. 나찰염요는 화사하게 웃으며 말을 이었다.

"조 영감, 내게 홀딱 빠져 있었거든요."

담우천은 눈살을 찌푸렸다.

하지만 따로 할 말이 떠오르지는 않았다. 하기야 나찰염요를 보고 홀딱 빠지지 않은 남정네가 또 어디 있겠는가.

그녀의 풍만한 육체와 요염하고 매혹적인 눈빛에 아랫도리를 불끈 세우지 않는 자가 있다면, 분명 거세를 당한 자이거나 혹은 남색(男色)만 할 줄 아는 자임이 틀림없었다.

"잘됐네요. 오래간만에 두 분이 오붓하게 지내실 겸 같이 여행가세요."

소화가 손뼉을 치며 반겨 말했다. 나찰염요가 그녀를 돌아보며 미안하다는 표정을 지었다.

"나만 계속해서 돌아다니게 되네. 정말 면목이 없어."

"아뇨. 원래 전 집순이거든요. 그리고 밖을 돌아다니는 것보다 아이들과 함께 지내는 게 더 행복하니까요. 저는 상관하지 마시고, 또 애들 걱정도 하지 마시고 다녀오세요."

소화는 순박하게 웃으며 말했다. 나찰염요는 도저히 참을 수가 없다는 듯 그녀를 와락 껴안았다.

"고마워, 동생."

"아휴. 답답해요, 언니."

소화가 발버둥을 쳤다.

담우천은 그녀들의 모습을 잠시 지켜보다가 저도 모르게 한숨을 내쉬었다.

정작 담우천은 허락도 거절도 하지 않았음에도 불구하고 어느 순간 그와 나찰염요가 함께 여행하는 것으로 되어 버렸다. 그 과정이 황당하다 못해 놀랍기까지 한 담우천이었다.

"뭐 어쩔 수 없지."

담우천이 말했다.

"대신 한 가지는 확실히 하자. 이왕 같이 가기로 한 거, 반드시 조 영감에게 보물을 모두 팔아 넘겨야 한다."

나찰염요는 몸부림치는 소화를 껴안은 채 방긋 웃었다.

"비싼 값으로 넘길게요."

그날 밤.

담우천이 잠자리에 누웠다.

나찰염요와 소화는 하루씩 번갈아 가면서 담우천과 잠자리를 가졌는데, 마침 이날은 나찰염요가 함께 잠자리에 드는 날이었다.

문이 열리고 한 여인이 조심스레 걸어 들어왔다. 담우천은 그녀를 보지도 않은 채 의아한 목소리로 물었다.

"무슨 일이냐, 소화?"

얇은 속옷만을 걸친 소화가 부끄러워하며 대답했다.

"오늘부터 여행을 떠나는 날까지 저만 시중을 들라고 해서요, 언니가."

담우천은 쓰게 웃었다. 아닌 게 아니라 확실히 나찰염요다운 배려였다. 그는 손을 뻗으며 말했다.

"염요의 배려라면 어쩔 수 없지. 얼른 들어와라. 아직 밤공기는 싸늘하니까."

소화가 그의 품에 안겼다.

* * *

"어? 고 숙부?"

담호는 어리둥절한 눈으로 고굉을 바라보았다.

지금 고굉은 홀로 수련을 하는 곳으로 와서 가타부타 말도 없이 웃통을 벗더니 담호의 동작을 따라 하기 시작한 것이다. 어찌 놀라고 당황하지 않을 수가 있겠는가.

"왜 그러시는데요, 고 숙부?"

담호가 재차 물었지만 고굉은 눈살을 찌푸리면서 외려 그를 닦달했다.

"왜 멈춘 게냐? 계속해서 투로를 밟아 봐라, 따라 하게."

"네?"

담호는 영문을 몰라 당황했다. 하지만 고굉이 연신 재촉하자 어쩔 수 없이 태극밀영십삼수의 손동작을 연계하며 펼치기 시작했다.

태극밀영십삼수는 담호와 담창이 노는 모습을 보던 정유가 담호에게 가르쳐 준 태극감찰밀의 금나수법(擒拿手法)으로, 그 변화가 기기묘묘하고 손놀림이 은밀하여 상대방이 어떻게 당했는지도 모르게 제압하는 수법이었다.

그런 위력이 있는 만큼 손동작이 괴랄할 정도로 난해하고 복잡하여 고굉은 아예 따라가지를 못했다.

'젠장!'

고굉은 속으로 욕설을 퍼부었다.

운수 나쁜 날이었다. 날씨는 짜증이 날 정도로 따스하고 햇빛은 화가 날 정도로 맑고 투명했다. 무공을 익히기에는 한없이 나쁜 날이었다.

이런 애송이에게 무공을 배워야 한다니. 강만리에게 창고를 터는 순간을 들키지만 않았더라도 이런 일은 일어나지 않았을 텐데.

"천천히 좀 해라. 약 올리는 것도 아니고."

고굉이 계속 투덜거리자 담호는 살짝 난감한 표정을 지으면 대꾸했다.

"지금보다 어떻게 더 천천히 펼칠 수 있는데요?"

"왜 없어? 동작 하나하나, 딱딱 멈춰서 보여 주면 되잖아. 이렇게, 이렇게!"

고굉은 자신이 먼저 시범을 보였다. 엄지손가락 하나 움직이고, 다시 검지와 중지를 꺾은 다음에는 손목을 우측으로 삼분지 일만큼 비틀면서 물었다.

"이게 맞냐?"

태어나서 처음 보는 광경에 눈을 휘둥그레 뜨고 지켜보던 담호는 퍼뜩 정신을 차리며 말했다.

"아, 지금보다 덜 비트세요. 오분지 일 정도로."

"오분지 일?"

"네. 손목을 너무 많이 비트셨어요. 아! 그래서 다음 동작으로 연결을 하지 못하셨던 거네요. 보세요. 이렇게 해서 요렇게 하면 돼요."

담호는 감을 잡았다는 듯이 고굉이 했던 것처럼 동작 하나하나를 섬세하게 표현하면서 멈췄다가 움직이기를 반복했다.

고굉이 눈을 부릅뜬 채 그 동작을 따라 하자, 담호가 칭찬했다.

"정말 잘하시는데요."

"뭐, 네가 잘 가르쳐 주니까."

고굉은 담호의 칭찬이 쑥스러운 듯 그렇게 말하고는 태극밀영십삼수의 두 번째 초식의 투로를 따라 하기 시작했다.

그때였다.

"어라? 자네가 여기 왜 있누?"

침통을 든 만해거사가 어슬렁거리며 걸어오다가 고굉을 보고는 눈을 휘둥그레 뜨며 물었다. 고굉은 얼른 손을 내리고 만해거사를 향해 인사했다.

"나오셨습니까, 만해 사부."

만해거사에게 따로 배운 건 없지만 강만리나 다른 형제들이 그렇게 부르듯 고굉도 만해거사를 향해 사부라고 불렀다.

가까이 다가온 만해거사는 고굉과 담호를 번갈아 바라보며 물었다.

"웃통까지 벗구 뭐하던 중인고?"

"아, 그게요……."

담호가 입을 열려는 찰나, 고굉이 끼어들며 황급히 말했다.

"날씨가 좋아서 운동 좀 하고 있었습니다. 마침 아호도 있어서 함께하는 중입니다."

"호오, 그래? 하기야 이제 운동하기 좋은 날씨가 된 건 맞지. 그래, 열심히 하게나."

만해거사는 담호를 돌아보며 말을 이었다.

"그럼 이제 침을 맞아야 할 시간이다."

담호는 순순히 자리를 깔고 엎드렸다. 고굉의 눈이 커졌다. 짚더미로 만든 자리까지 있는 걸 보면 이런 일이 한두 번이 아닌 모양이었다.

"끄응."

만해거사는 엎드린 담호 곁에 주저앉으며 투덜거렸다.

"나이가 드니 이제 앉는 것도 힘들군그래."

그는 "에구, 허리야." 하면서 침통을 열었다.

거의 목침(木枕)만 한 크기의 침통에는 수백 개의 침과 가위, 붕대와 실, 그리고 이름 모를 약병들이 보기 좋게 정렬해 있었다.

"침통이 상당히 큽니다."

고굉이 가까이 다가와 주저앉으며 말했다. 만해거사는 침들을 꺼내며 대답했다.

"허허. 내 평생이 담긴, 그리고 내 모든 의술이 집약된 물건이지. 아마 이 물건의 가치를 아는 사람이라면 황금 십만 냥도 아까워하지 않고 내놓을 게야."

일순 고굉의 눈가에 탐욕의 빛이 일렁거렸다.

만해거사는 담호의 등과 허리, 팔다리를 가리지 않고

침을 놓았다.

침을 놓는 그의 손놀림은 전광석화 같았다. 심지어 조금 전 담호가 선보였던 태극밀영십삼수보다 훨씬 빠르고 현란하여, 가만히 지켜보고 있던 고꾕이 깜짝 놀랐다.

눈 깜짝할 사이에 담호의 전신 대혈에 수백 개의 침이 놓였다.

'대단한 손놀림이네! 왜 의선(醫仙)이라는 별호가 붙었는지 알 것 같군그래.'

고꾕은 고개를 끄덕이며 말했다.

"저도 제법 침을 많이 맞아 보기는 했지만 이렇게 많은 침은 처음입니다. 대충 이백 개는 넘어 보이네요."

"삼백육십 개일세."

침을 다 놓은 만해거사는 손을 털며 대꾸했다.

"긴장된 근육을 이완하고 편하게 만들어 주지. 내공이 원활하게 운용될 수 있도록 기맥과 혈맥을 타통하고. 뭐 한 번 시술받는 거로도 제법 효과가 있지만, 지금의 아호처럼 매일 꾸준히 받는다면 훨씬 더 큰 효과를 볼 수 있다네."

고꾕은 침을 꿀꺽 삼키며 물었다.

"그럼 저도 혹시 받을 수 있을까요?"

"음?"

"저도 받으면 그런 효과를 얻을 수 있을까 해서요."

"흠."

만해거사는 대답 대신 고굉의 아래위를 훑어보았다. 고굉은 살짝 부끄러운 표정을 지었다. 자신의 모든 게 속속들이 드러나는 기분이었다.

2. 내기

"뭐 괜찮겠지."

만해거사가 말했다.

"보아하니 부족한 게 너무 많구나. 내공도 부족하고 양기(陽氣)도 부족하고 양기(養氣)도 부족해. 그동안 무공 수련은 전혀 하지 않은 채 그냥 먹고 마시고 진탕 계집질만 했던 게지."

고굉의 얼굴이 시뻘겋게 달아올랐다. 그는 엎드려 있는 담호를 힐끗 바라보며 어색하게 웃었다.

"하하. 너무 심한 말씀이십니다. 저도 나름대로 꾸준히 수련했습니다. 그렇지 않고서야 어떻게 한 방의 방주가 되었겠습니까?"

"겨우 흑방(黑幇)의 방주 정도로 의기양양할 건 없다. 그건 자네가 겨우 그 정도의 인물에 불과하다는 의미이니까."

고굉은 입을 뻐끔거리다가 다물었다. 말을 할수록 스스로가 비참해지고 부끄러워지는 게다. 알고 보니 이 만해거사, 상당한 독설가(毒舌家)였다.

만해거사는 담호의 등에 박힌 침들을 쉬지 않고 톡톡 건드리면서 말을 이어 나갔다.

"어쨌든 워낙 부족한 게 많으니 한 번 맞으면 상당한 효과를 볼 게야. 하지만 명심하게. 스스로 몸을 관리하지 않고 무공을 수련하지 않으면 아무리 좋은 침술이나 영약도 별 소용이 없다는 걸 말이지. 지금 자네는 이 아이보다 훨씬 약하니까, 앞으로 꾸준히 정진하게나."

"어허, 그거 너무 심한 말씀이십니다."

할 말을 찾아서 계속 입을 뻐끔거리고 있던 고굉이 발끈하여 반박했다.

"제가 아무리 약하다고 한들 아호보다 약하겠습니까?"

만해거사는 빙긋 웃으면서 말했다.

"자네가 약한 것도 사실이지만, 아호는 자네의 생각보다 훨씬 강하다네."

"에이, 설마요. 이래 봬도 아호 정도는 한 손으로 싸워도 이길 수 있습니다."

계속 삼백육십 개의 침을 톡톡 건드리던 만해거사는 손을 떼고 고굉을 돌아보았다. 그는 진지한 표정을 지으며 말했다.

"흠. 만약 자네가 두 손을 사용하여 아호를 이긴다면, 자네가 원하는 것 하나 정도는 들어주겠네."

고굉이 기다렸다는 듯이 물었다.

"저 침통을 달라고 해도 주시겠습니까?"

"물론일세. 왜? 침통이 필요한가?"

"하하, 아닙니다. 농담이죠. 뭐, 제가 만해 사부께 원하는 게 뭐가 있겠습니까?"

"흠. 이십 년의 내공이라면 어떤가?"

갑작스러운 만해거사의 제안에 고굉은 저도 모르게 침을 꿀꺽 삼켰다.

이십 년의 내공이라면 저 소림사의 대환단 한 알을 복용한 효과라고 할 수 있었다. 이거야말로 가히 모든 무림인이 간절히 기원하고 갈망하는 기연이 아니던가.

고굉은 애써 침착함을 유지하며 입을 열었다.

"설마 대환단이라도 가지고 계십니까?"

"글쎄."

만해거사는 소리 없이 웃으며 말했다.

"어쨌든 자네가 이기면 확실히 이십 년 내공을 주겠네."

"하겠습니다."

고굉은 행여 만해거사가 마음을 바꿀까 재빨리 말했다.

"당연히 하죠. 물리시면 안 됩니다."

"허허, 지금까지 살아오면서 한 입으로 두말은 해 본

적이 없다네."

만해거사는 웃으며 말했다.

"하지만 내가 주기만 할 수는 없지 않겠나? 만약 자네가 지면 내게 뭘 주겠는가?"

고굉은 생각하지도 않고 대답했다.

"평생 만해거사의 시중을 들겠습니다."

"아니, 그럴 것까지는 없네."

만해거사가 손을 내저으며 말한 후 살짝 고민하는 얼굴로 중얼거렸다.

"흠, 갑작스러운 내기라 좋은 생각이 나지 않는군. 그래, 나보다 아호에게 뭔가를 해 줘야겠지? 자네와 싸우는 건 어디까지나 아호니까 말이지."

"그럼 제가 아호에게 뭘 해 줘야 할까요?"

고굉이 묻자 만해거사는 어깨를 으쓱이며 말했다.

"그건 나중에 아호에게 묻게나."

"그러죠. 어차피 제가 질 리는 없으니까 말입니다."

고굉은 자신만만하게 말했다.

아닌 게 아니라 그는 자신이 있었다. 아무리 아호가 여러 고수들의 가르침을 받았다 하더라도 이제 겨우 열세 살밖에 되지 않은 꼬마였다.

요 근래 제법 키도 크고 근육도 붙었다고는 하지만, 고굉 옆에 서면 그 체구가 절반도 채 안 될 정도로 확실한 체격 차이가 났다.

'흑방의 방주가 쉽게 되는 줄 아나 보지? 협잡이나 음모, 계략 따위는 부수적인 게야. 그 방에서 가장 강해야 방주가 될 자격이 생기니까.'

고굉은 자리에서 일어나 어깨를 좌우로 틀며 몸을 풀기 시작했다.

운수 좋은 날이었다.

이렇게 좋은 날이 어디 또 있을까. 날씨는 따스했고 햇빛은 맑고 투명했다. 바람은 시원했고 하늘은 높았다. 이십 년의 내공을 쌓기에는 더없이 좋은 날이었다.

'단 일격에 끝내자. 꼬마를 데리고 이리저리 시간을 보내는 것도 부끄러운 일이니까.'

그는 어른답게 제대로 한 수 교육을 해 줄 참이었다. 세상이 얼마나 넓은지 가르쳐 줄 작정이었다.

그때 한 무리의 무사들을 이끌고 지나치던 양위가 문득 그 광경을 보고는 호기심을 느꼈는지 다가오며 물었다.

"뭐 재미있는 일이라도 있습니까?"

만해거사가 반색하며 말했다.

"응, 내기 중일세. 자네들도 동참하지그래."

"무슨 내기인데요?"

"실은 말이지……."

만해거사가 지금 이 상황을 설명하자 양위와 무사들이

서로를 돌아보았다.

'이거 말 그대로 어린아이 손목 비틀게 생겼다고 욕먹는 거 아냐?'

고굉이 난감한 표정을 짓는 가운데 만해거사가 껄껄 웃으며 말을 이었다.

"어떤가? 내기에 동참할 거라면 내가 물주가 되겠네. 배당은 아호가 일(一)이고, 일점(一點) 오(五)일세."

고굉이 펄쩍 뛰었다.

"아니, 왜 제가 일점 오입니까? 일이 되어도 속상할 판에."

배당이라는 건 내기에 돈을 걸어 승리했을 때 돌려받는 금액을 뜻했다.

배당이 일(一)이라는 건 즉, 은자 한 냥을 걸고 승리하면 은자 한 냥의 배당을 받아서 두 냥을 돌려받는다는 의미였다. 일점 오는 두 냥을 걸면 세 냥의 배당을 받아서 다섯 냥을 받는다는 뜻이었다.

승리할 확률이 높은 사람에게는 배당이 적고, 확률이 낮은 사람에게 배당이 높게 붙는 게 일반적인 도박의 규칙이었다. 그러니 고굉은 왜 자기가 승리할 확률이 적은 쪽이냐며 펄쩍 뛴 것이다.

"하죠. 재미있겠네요."

무사들이 저마다 승자를 예측하느라 시끄럽게 떠드는

가운데, 양위가 품에서 은자를 꺼내며 말했다.

"저는 아호에게 걸겠습니다."

"양 당주!"

고굉이 눈을 부라리며 소리쳤다. 양위와 함께 온 무사들도 내기에 동참했다.

"저도 아호에게 걸겠습니다."

"저도 아호에게 걸겠습니다."

양위가 아호를 선택한 것이 다른 무사들에게 영향을 끼쳤는지, 아니면 지금 모인 무사들이 모두 북해빙궁의 인물들이어서 그런지 하나같이 아호에게 돈을 걸었다.

고굉의 입장에서는 불쾌하고 짜증 나는 일이었다. 그는 무사들을 노려보다가 문득 주위를 둘러보았다. 저 멀리, 월동문을 지나는 무사들이 보였다.

"야!"

고굉이 소리쳐 그들을 불렀다. 무사들이 걸음을 멈추고 이쪽을 확인하더니 그 먼 곳에서 꾸벅 인사를 했다. 바로 고굉의 흑룡방도들이었다.

고굉이 그들을 향해 악을 썼다.

"가서 아이들 다 데리고 와라! 용병 녀석들도 말이다!"

흑룡방도들은 영문을 몰라 어리둥절한 표정을 지었다. 하지만 멀뚱거리는 그들을 향해 곧바로 고굉의 욕설이 이어지자 황급히 월동문 안쪽으로 자취를 감췄다.

고굉은 씩씩거리며 말했다.

"한쪽으로 너무 많이 기울어지면 내기가 성립되지 않으니 잠시 기다려 주십쇼. 제 아이들이 곧 올 겁니다."

"상관없네."

만해거사는 여전히 고슴도치처럼 빽빽하게 침을 맞고 있는 아호를 힐끗 내려다보며 말했다.

"아직 침을 뺄 시간이 아니니까 말일세."

"그것참 다행입니다."

고굉은 여전히 씩씩거리며 투덜댔다.

"쳇, 도대체 날 너무 물로 보는 거 아냐?"

양위가 그 말을 들었는지 웃으며 말했다.

"하하. 반쯤 장난으로 하는 내기가 아닙니까? 그리고 우리가 아호 편을 든 건 원래 약자를 응원하는 관객들의 습성 때문이기도 하니까요."

"흠, 장난으로 하는 내기는 아니오. 하지만 관객들이 약자를 응원한다는 건 인정하겠소. 강자가 이기는 건 너무나도 당연하고 재미없는 일이니까 말이오."

"그러니까 말입니다. 그래서 다들 기껏해야 은자 한두 냥 정도만 내기에 걸었잖습니까?"

"그럼 난 은자 백 냥을 걸겠어요."

갑작스레 발랄하고 아름다운 여인의 목소리가 들려왔다. 사람들은 뒤를 돌아보았다.

어느새 그들의 뒤에는 소홍이 서 있었다. 그녀는 활짝 웃으며 품에서 은원보 하나를 꺼내 만해거사에게 건네며 말했다.

"아호가 이기면 은자 이백 냥이죠?"

"허허. 물론이네."

고굉이 눈살을 찌푸렸다.

'역시 어린 계집이라 그런지 누가 강하고 약한지 냉정하게 관찰할 수가 없는 게다. 아니, 어쩌면 아호라는 애송이를 좋아하는 건 아닐까?'

하는 생각이 언뜻 그의 뇌리를 스쳐 지나갈 때였다. 월동문 저편에서 크게 외치는 목소리가 들리고 뒤늦게 한 무리의 사람들이 달려 나왔다.

"방주! 모두 데리고 왔습니다!"

한 무리의 사람들이 우르르 몰려왔다.

"무슨 일입니까, 방주!"

그들은 적이 기습했다고 생각했는지 사방을 두리번거리며 물었다.

고굉이 눈살을 찌푸리며 말했다.

"다들 내게 돈을 걸면 된다."

"네? 그게 무슨……."

"잔말 말고 돈들 내. 은자 두어 냥씩 걸면 된다니까. 아, 너희 둘은 은자 오십 냥씩 걸고. 뭘 머뭇거리는 거야? 얼른 내라니까!"

고굉이 버럭 소리쳤다.

엉겁결에 달려온 흑룡방도와 용병들은 영문도 모른 채 주섬주섬 은자를 꺼내 만해거사에게 건넸다.

"죄송합니다만 오십 냥이 없는데요."

"그런 큰돈을 들고 다닐 리가 없잖습니까?"

고굉에게 지목을 두 심복이 하소연하듯 말하자, 고굉은 벌컥 화를 냈다.

"그럼 외상을 하든가, 각서를 쓰라고! 내가 반드시 따서 돌려줄 테니까!"

고굉이 불같이 화를 내자 심복들은 아무 말도 하지 못하고 만해거사에게 외상이 되느냐고 물었다.

만해거사는 싱글거리며 고개를 끄덕였다. 두 심복은 무슨 내기인지도 모르고 오십 냥씩의 외상을 그어야 했다.

돈을 다 챙긴 만해거사는 그제야 아호의 몸에 놓은 삼백육십 개의 침을 빼며 말했다.

"마침 딱 시간이 되었군그래."

3. 승부

물론 담호는 기절해 있지도, 잠들어 있지도 않았다.

성라대연금침술을 시술받을 때는 꼼짝하지 말아야 하고 말도 하지 말아야 한다는 만해거사의 주의 때문에 단 한 마디도 못한 채 그저 자신이 내기의 대상이 되는 걸 잠자코 지켜봐야만 했다.

'아니, 정작 당사자인 내 의견은 깡그리 무시당한 채 이게 뭐람? 누가 고 숙부랑 싸우고 싶대?'

담호는 속으로 투덜거리며 입을 삐쭉였다.

'게다가 자칫 고 숙부가 다치기라도 하면 어떻게 해? 차라리 그냥……'

담호는 일어나자마자 자리를 박차고 도망칠 생각을 했다. 하지만 그의 계획은 소홍의 참여로 무산이 되었다. 은자 백 냥을 건 소홍은 엎드려 있는 담호를 향해 부드럽고 달콤하게 말을 건넸다.

"반드시 이겨야 해. 알았지?"

담호는 가슴이 두근거렸다.

'날 믿고 내 승리를 위해서 은자 백 냥을 걸다니.'

어렸을 적부터 가난하게 살아온 담호였다. 또 납치당한 엄마를 찾기 위해 부친과 동생과 함께 강호를 떠돌면서, 돈이라는 게 얼마나 귀한 건지 몸으로 체험한 그였다.

은자 백 냥은 거금이었다. 담호가 상상조차 하지 못할 정도의 큰 액수였다. 그런 거금을 선뜻, 아낌없이 투자하다니.

'누나가 손해를 보지 않게 하려면……'

결국 고굉과 싸워 이기는 수밖에 없었다. 담호는 어쩔 도리 없다는 듯이 한숨을 쉬었다. 마침 만해거사가 침을 뽑기 시작했다.

그때, 뒤늦게 내기의 내용을 알게 된 흑룡방도와 용병들이 아우성치기 시작했다.

"그런 내기인 줄 몰랐어요. 돈을 돌려주세요!"

"지금이라도 아호에게 걸면 안 됩니까?"

"우리는 무려 은자 오십 냥이라고요! 제발 지금이라도 바꾸게 해 주세요."

사람들은 만해거사를 향해 읍소하듯 말했다. 지켜보던 고굉이 어이없다는 듯 허허 웃으며 입을 열었다.

"뭐냐, 너희들? 날 그렇게 믿지 못하는 거냐? 내가 누구인지, 내 실력이 어느 정도인지 누구보다 네놈들이 더 잘 알고 있지 않으냐?"

심복 하나가 울상을 지으며 대꾸했다.

"방주의 실력을 잘 알고 있기 때문에 바꾸려고 하는 겁니다."

"그건 또 무슨 헛소리야?"

"방주의 실력으로는 결코 아호를 이길 수가 없다고요. 아호는 여기 양 당주와 싸워도 이길 정도의 고수라니까요."

괜히 곁에 서 있다가 날벼락을 맞은 양위가 움찔거리며
말했다.

"어라, 그건 도가 지나친 말 같은데. 아무리 아호가 강
하더라도 설마 나를 이길 수 있을까?"

"아니, 아호와 한 번도 겨뤄 보지 않으셨죠?"

"음? 그야……."

"우리는 다들 한 번 정도 겨뤄 본 적이 있습니다. 결과
는 뻔하죠. 다 일패도지(一敗塗地)했으니까요."

고굉의 심복은 전혀 부끄러워하지도 않은 채 계속해서
말을 이어 나갔다.

"단 일초도 막지 못했으니까 부끄러울 것도 창피할 것
도 전혀 없습니다. 워낙 실력 차이가 나야 말이죠. 그러
니 방주는 물론, 양 당주께서 아호와 겨뤄도 우리는 아호
에게 걸겠습니다."

다른 흑룡방도들이 모두 찬성하고 동의했다.

고굉의 얼굴이 딱딱하게 굳어졌다.

'정말 저 애송이가 그리 강한가?'

고굉은 자리를 털고 일어서는 담호를 바라보았다.

탄탄한 근육질의 몸매, 군살 하나 없이 늘씬한 체격.

하지만 역시 아직 어렸다.

기껏해야 고굉의 턱에 닿을까 하는 키와 고굉에게 비하
면 절반도 되지 않은 체구. 제대로 힘이나 쓸 수 있을까,

하는 생각이 드는 외모였다.

'그래도 모르니까.'

고굉은 헛기침을 하며 입을 열었다.

"허험. 실은 내가 권각술에는 젬병입니다, 만해 사부. 애당초 손발을 사용하는 무공은 배운 적이 없거든요. 그러니까 담 형님 같은 사부를 모신 아호와 맨주먹으로 싸우는 건 불공평하지 않을까 싶습니다."

고굉은 그렇게 말하면서 스스로도 참 구질구질하다는 생각을 떨칠 수가 없었다.

하지만 괜히 자존심을 내세워 싸우다가 지기라도 한다면 그때는 더욱 망신살이 뻗칠 터, 차라리 이쯤에서 그만두는 게 훨씬 나았다.

만해거사는 침통에 침을 넣으며 물었다.

"그래서?"

"제가 원래 칼을 주로 사용하는데, 그렇다고 아호에게 칼을 들이댈 수도 없지 않겠습니까? 제가 잘못 칼을 휘둘러서 행여 큰 부상을 입히게 되면 그야말로 큰일이 아니겠습니까? 그러니 이번 내기는 무효로 하는 게……."

"괜찮아요."

아호가 끼어들며 말했다. 고굉이 눈을 부라렸지만 아호는 개의치 않고 계속해서 말했다.

"칼이든 뭐든 상관없어요, 저는."

"그러다가 다친단다, 아호야."

고굉이 거들먹거리며 말했다. 그러자 이번에는 양위가 끼어들며 물었다.

"목도(木刀)면 괜찮지 않겠습니까?"

"네?"

고굉이 눈을 크게 뜰 때, 양위는 제 수하를 돌아보며 지시를 내렸다.

"가서 연습용으로 사용하던 목도 두 자루를 챙겨 와라."

"네."

수하는 쏜살같이 달려갔다.

"자, 잠깐만요."

고굉이 말을 더듬거리며 만류하려 했지만, 이미 화살은 쏘아진 후였다. 게다가 무슨 영문인지는 모르겠지만 담호는 꽤 강렬한 투기를 발산하고 있었다.

고굉의 이마에 식은땀 한 방울이 맺혔다.

'흥!'

하지만 이내 고굉은 코웃음을 치며 담호를 노려보았다.

'네가 아무리 강하다 한들, 그건 어디까지나 주먹질이 그렇다는 거지. 네가 제대로 칼을 다룰 줄 아느냐? 응? ……아니지. 혹시 담 형님에게 제대로 된 도법(刀法)을 배웠을 수도 있지 않을까?'

갑자기 걱정이 된 고굉이 은근슬쩍 담호에게 물었다.

"너도 칼을 휘두를 생각이냐?"

"상관없어요."

담호는 여전히 씩씩하게 말했다. 고굉이 손을 내저으며 말했다.

"아서라. 목도라 하더라도 위험하다. 게다가 너는 원래 권각술이 뛰어나지 않느냐? 네 주먹과 발이 칼보다 강할 것 같구나. 그러니 제대로 휘두를 줄 모르는 칼은 버리고 맨주먹으로 싸우는 게 더 낫지 않겠느냐?"

"네, 그럴게요."

담호는 순순히 대답했다.

"안 그래도 처음부터 그렇게 대련할 생각이었거든요."

"그래, 생각 잘했다."

고굉은 고개를 끄덕이며 말하다가 문득 자신을 바라보는 시선을 느끼고 주위를 둘러보았다. 양위를 비롯한 무사들과 심지어 흑룡방도들까지 모두 한심스러운 눈초리로 그를 바라보고 있었다.

고굉은 움찔했지만 속으로 자신을 두둔했다.

'아니야. 자격지심(自激之心)에 그렇게 보일 따름이지, 저들이 진짜로 날 한심하게 보는 건 아니라고. 설마 내 수하들이 그런 눈빛으로 날 볼 리가 없잖아?'

고굉은 고개를 저으며 생각했다.

'어쨌든 이기면 된다. 젠장! 어쩌다가 이렇게 일이 커졌

는지는 모르겠지만 이기기만 하면 이십 년의 내공을 얻을 수가 있다. 그렇게만 된다면…….'

이십 년 내공은 무려 이십 년 동안 하루도 빠지지 않고 계속해서 운기조식을 해야만 겨우 쌓을 수 있는 내공이었다. 그것도 제대로 된 심법을 익히고 제대로 된 자세로 제대로 내기를 운용할 줄 알아야만 비로소 가능한 일이었다.

그걸 공짜로 얻게 되는 것이다. 그러니 약간의 수모와 모멸, 수치심은 참을 수 있었다. 저 전설의 한신(韓信)도 한 주먹 거리도 안 되는 불량배들의 가랑이 사이를 기어간 적이 있지 않았던가.

"가지고 왔습니다!"

양위의 지시를 받고 쏜살같이 달려갔던 무사가 다시 쏜살같이 달려왔다. 그의 손에는 제법 사용한 흔적이 남아있는 낡은 목도 두 자루가 있었다.

"여기 있습니다, 고 방주."

양위가 활짝 웃으며 목도를 건네주었다.

"고맙소."

고굉은 재차 눈을 부라리며 목도를 받아 쥐었다.

누가 깎은 건지는 모르겠지만 꽤 잘 만든 목도였다. 무게 중심도 제대로 잡혀 있고, 자루를 쥔 손의 감촉도 나쁘지 않았다.

고굉은 목도를 한 차례 크게 휘둘러 보았다.

우웅!

목도가 허공을 가르는 바람 소리가 요란했다. 절로 고굉의 입가에 미소가 스며들었다.

'역시 칼이지.'

목도를 쥐는 순간, 조금 전과는 달리 고굉의 전신에서 상당한 기세가 뿜어져 나왔다.

고굉을 흑룡방의 방주로 만들어 준 게 칼이었다. 또한 다른 흑방들을 물리치고 흑룡방을 성도부 최고의 흑방으로 키우게 만든 것도 역시 한 자루의 칼이었다.

그의 칼날 아래 피를 흘리고 쓰러진 흑도의 인물들이 얼마나 많던가.

고굉은 담호를 쓸어 보며 자신만만한 목소리로 말했다.

"지금이라도 늦지 않았다, 아호. 괜히 크게 다치기 전에 패배를 인정하거라."

말만 들어 보면, 무림의 절정 고수가 세상 물정 모르는 강호초출의 소협에게 온정을 베푸는 것만 같았다.

담호는 지지 않고 말했다.

"다치지 않도록 노력할게요."

"흠, 나중에 네 아버지에게 이르면 안 된다."

"아, 제가 잘못 말했나 보네요."

담호는 방긋 웃으며 말했다.

"그러니까 제 말은 제가 다치지 않도록 노력하겠다는 게 아니라, 고 숙부가 다치지 않도록 노력하겠다는 거예요."

담호의 말에 사람들이 환호성을 질렀다.

"그래야지! 자고로 싸울 때는 상대를 그렇게 도발할 줄도 알아야 하는 법이다!"

"하하하! 그래, 고 방주가 다치지 않도록 노력해라!"

다른 한쪽의 무리들도 아우성을 쳤다.

"제발 좀 바꾸게 해 달라고요!"

"은자 오십 냥이 어디 땅 파면 나온답니까? 지금이라도 아호에게 돈을 걸겠다니까요!"

고굉은 흑룡방도와 용병들을 노려보았다.

평소 같으면 그 고굉의 매서운 눈빛에 꼼짝도 하지 못하고 금세 온순해질 텐데, 아무래도 적지 않은 돈이 걸려 있다 보니까 그들의 소란은 쉽게 가라앉지 않았다.

"됐다."

결국 고굉은 그들을 노려보는 걸 포기한 듯 목도를 제대로 움켜쥐며 말했다.

"실력으로 보여 주면 될 게 아니냐?"

그는 담호를 향해 목도를 정면으로 겨누며 말을 이었다.

"조심해라. 단 일격이다. 네게 두 번이나 칼을 휘두르는 건 내가 진 거와 같으니까."

담호도 응수했다.

"네. 일격으로 끝내요."

만해거사가 주변 사람들을 뒤로 물렸다.

사람들은 고꾕과 담호를 빙 둘러 에워쌌다. 사내들의 함성과 고함이 난무하는 가운데, 소홍의 날카로운 목소리가 담호의 등 뒤에서 들려왔다.

"가볍게 이기라고!"

만해거사가 껄껄 웃으며 입을 열었다.

"그럼 시작하게."

그의 말이 떨어지는 것과 동시에 고꾕의 칼이 무시무시한 기세로 담호의 정수리를 내리쳤다. 담호는 전광석화처럼 지면을 박차며 고꾕의 품으로 뛰어들었다.

역시 운수 나쁜 날이었다.

2장.
화평장 이야기

"한창 바쁠 때는 하루라도 한가하게 지내는 게 소원이었는데,
이렇게 며칠 한가하게 지내니까 정신없이 바쁠 때가 그리워지네.
참, 사람 마음이라는 게 간사하다니까."

1. 그날의 이야기

그날 있었던 이야기는 한동안 화평장의 가장 큰 화제가 되었다.

그 자리에 있었던 무사들은 경비를 서고 호위를 서느라 미처 그 광경을 보지 못한 동료들에게 연신 떠들어 댔다. 경비를 서는 와중에, 식사하는 도중에, 혹은 술을 마시면서 사람들은 침을 튀겨 가며 그날의 이야기를 늘어놓았다.

"한 방에?"

"그래. 단 한 방이었네. 만해 사부의 시작 소리와 함께 고 방주가 거침없이 목도를 휘둘렀지. 순간 나는 깜짝 놀랐다네. 고 방주가 그렇게 무지막지하고 강렬한 일격을 휘두를 줄은 전혀 몰랐으니까. 생각보다 고 방주, 훨씬 강하더군."

"아, 원래 고 방주가 계략이나 뒷공작 등에 능하다고 알려져 있지만 그래도 한 수의 재간은 지닌 사람이거든."

"호오, 그랬었나? 나는 용병 출신이라 잘 몰랐네."

"사실 무위가 딸리면, 아무리 머리가 좋고 입담이 뛰어나고 뒷공작을 잘해도 결국 사상누각처럼 무너지기 마련이지. 특히 우리처럼 힘을 숭상하는 흑도에서는 더더욱 말일세."

"흠, 그건 그렇지. 우리 용병들에게도 무공 약한 대장이라는 건 아무래도 신뢰가 가지 않으니까. 한 조직을 이끈다면 최소한 그 정도의 무력은 지니고 있어야겠지."

"어쨌든 고 방주가 목도를 휘두를 때 느낀 감정은 크게 두 가지였네. 하나는 내가 아호 자리에 서 있어도 막지 못하겠다. 그리고 하나는 저 어린 아호에게 저렇게 무지막지한 일격을 휘둘러도 될까, 하는 걱정이었네."

"그래, 그런데 어떻게 아호가 이긴 거야?"

"아호는 순간적으로 지면을 박차고 고 방주의 품으로 뛰어들었지. 그야말로 전광석화와 같은 움직임이었네. 얼마나 빠른지 마치 고 방주가 목도를 반도 채 휘두르기 전에, 아호는 이미 고 방주의 가슴팍에 달라붙어 있었거든."

"아! 그 수법이라면 나도 잘 아네. 예전에 장난삼아서 아호와 대련할 때 한 번 당했으니까. 담 장주의 절기로, 원래는 신법이었다던데. 하지만 아호는 그 폭광질주섬(爆光疾走閃)의 순간적인 폭발력과 속도를 이용하여 상대의 사각으로 파고드는 수법으로 종종 사용한다고 하더군. 아주 머리가 뛰어난 녀석이라니까."

"그러니까 말일세. 어쨌든 그렇게 고 방주의 가슴팍으로 파고든 아호는 그대로 두 손을 뻗어 고 방주의 가슴을 밀어냈지. 순간, 펑! 하는 소리가 들린 것 같았네. 동시에 고 방주의 신형이 삼사 장이나 훌쩍 날아가 바닥에 나동그라졌지 뭔가. 승부는 그렇게 끝났다네. 단 일격 만에 말이지."

"하하하. 고 방주에게 돈을 건 친구들이 울상을 지었겠구먼그래."

"어디 울상뿐인가? 왜, 흑일(黑一), 흑이(黑二)라는 친구들 있지 않은가?"

"아, 흑삼(黑三)이라는 자와 더불어 고 방주의 절대 심복이라고 불리던 친구들 말이지?"

"흠. 솔직히 나는 그들과 고 방주의 관계가 조금 의심스럽기는 하네. 상관과 심복이라고 하기에는 너무 허물이 없고 가까워. 마치 친구나 동료, 혹은 가족이나 연인처럼 말일세."

"응? 그건 또 처음 들어 보는 이야기네. 설마 그들이 연인 관계는 아닐 테고 가족도 아닐 테니까, 친구처럼 지내는 사이이려나?"

"아니, 그게 뭐가 중요한가? 그 절대 심복이라고 하는 흑일과 흑이 둘이 합쳐서 무려 은자 백 냥은 고 방주에게 걸었다는 게 중요한 게지."

"뭐야? 정말 미쳤구먼그래. 아니면 절대 심복이라는 말이 사실인 게고. 그렇지 않고서야 어찌 은자 백 냥이라는 거금을 고 방주에게 걸 수 있겠어?"

"아, 그건 고 방주가 억지로 걸라고 해서 그랬던 게야. 어쨌든 고 방주가 그렇게 일격에 나가떨어지자 그 두 사람은 사색이 된 채 만해 사부에게 빌더군. 제발 없던 일로 해 달라고 말일세."

"아니, 그럼 나가떨어진 고 방주에게 달려간 사람은 아무도 없었나?"

"왜 없겠나? 고 방주에게 일격을 날린 아호가 깜짝 놀라고 당황하여 곧바로 그에게 날아가 상태를 확인했다네. 이렇게 압도적으로 이길 줄 미처 몰랐는지 심지어 울먹거리기까지 하더라니까."

"허어. 역시 아호로군. 착해도 너무 착하다니까. 나중에 이 험한 무림을 어떻게 헤쳐 나갈지 걱정이 들 정도로 착해."

"뭐, 알아서 잘하겠지. 우리가 아호를 걱정하는 건 뱁새가 황새 걱정하는 것과 같은 거니까."

"그나저나 고 방주, 큰 부상을 입은 건 아냐? 그것도 걱정되기는 하네. 어찌 되었든 간에 우리 동료가 아닌가?"

"그게 놀라운 일이란 말일세."

"음? 거기서 말을 끊고 술을 마시는 건 또 뭔가? 말을 꺼냈으면 끝까지 이야기해야지."

"자자, 목이 마를 테니까 한 잔 더 하게. 자네가 좋아하는 안주도 여기 있네. 어서 먹게."

"고마우이. 역시 왕 형밖에 없다니까."

"젠장. 술은 내가 사고 칭찬은 왕 형이 듣는 겐가?"

"하하."

"어, 시원하다. 그래, 어디까지 이야기했지?"

"고 방주가 크게 다치지 않았느냐고 물었네."

"아, 그거. 그래, 놀라운 일은 또 있었다네. 당시 만해 사부가 천천히 고 방주에게 다가가더니 맥을 짚어 보고는 고개를 설레설레 흔들더군."

"응? 왜? 설마 죽었을 리는 없고."

"그야 나도 모르지. 단지 몇몇 사람들은 만해 사부가 '그래도 뼈는 부러지지 않았군.' 하고 중얼거리는 소리를 들었다고 하네."

"음, 뼈는 부러지지 않았다면 아무래도 내상을 크게 입은 모양이군그래. 설마 아호가 벌써 격공장을 펼친다는 건가?"

"아마도 그런 것 같네. 확실히 겉으로 본 고 방주는 멀쩡해 보였으니까. 하지만 혼절한 와중에서도 입 밖으로 울혈(鬱血)까지 토해 낸 걸로 보아 상당히 중한 내상을 입은 모양이었네."

"으음. 그나마 천만다행이군그래. 그래도 만해 사부가 바로 그 자리에 있었으니 말이지. 당연히 만해 사부가 고 방주를 치료해 주셨겠지?"

"물론이네. 만해 사부는 들고 있던 침통을 열고 그 안에서 금박(金箔)으로 쌓인 동그랗고 조그만 물건을 꺼냈다네. 사람들은 그게 뭘까, 궁금해서 다들 집중하고 바라봤지. 그런데 금박을 벗기니까 구슬만 한 환단(環丹)이 나오지 뭔가?"

"오오! 만해 사부의 환단이라면 정말 대단한 효과를 지닌 약이겠군그래. 가령 그걸 먹으면 죽은 자도 살아난다는 생사금명단(生死金命丹) 같은 게 아닐까?"

"그건 잘 모르겠네. 만해 사부는 끝까지 그게 무슨 약인지 말하지 않으셨으니까. 어쨌든 만해 사부는 그 환단을 고 방주에게 먹인 다음 추궁과혈(推宮過穴)을 하기 시작하셨네."

"와아! 추궁과혈이라면 외려 고 방주에게 이득이 될지도 모르지 않는가?"

"아니, 그건 아니라고 하네. 만해 사부의 말씀에 따르자면 추궁과혈은 크게 두 가지 용도로 사용된다고 하더군. 하나는 기맥과 혈맥을 타통하여 내공을 원활하게 운용할 수 있게 만들어서 내공이 보다 빠르게 쌓일 수 있도록 하는 용도와 지금처럼 내상을 입었을 때 그 내상을 치유하기 위한 방도로 펼친다고 하시더군."

"으음, 역시 만해 사부가 있는 것과 없는 것의 차이가 크다니까. 이번에 그분을 모셔 온 건 정말 행운이라고 할 수 있다니까. 덕분에 어지간한 부상이나 내상은 걱정하지 않아도 되니까 말이지."

"그렇지. 이번에도 사람들은 정말 놀랐다네. 그렇게 환단을 먹이고 추궁과혈을 하자, 마치 시체처럼 시퍼렇게 변했던 고 방주의 안색이 차츰 원 상태로 돌아오지 뭔가? 다들 깜짝 놀랐다네."

"나는 아무래도 그 환단이 수상하이. 농담이 아니라 진짜 생사금명단이 아닐까 싶은데."

"하하. 생사금명단이라는 건 저 전설의 약왕문 시절에나 있던 물건이지 않나? 뭐, 그건 그렇다 치고 그렇게 반시진 정도 만해 사부께서 쉬지 않고 추궁과혈을 하자 고 방주가 '우욱!' 하고 검은색의 울혈을 토해 내며 정신을 차리더군."

"으음. 이건 알고 보니 아호가 이긴 것보다 만해 사부가 고 방주를 치료한 이야기가 더 대단하네그려."

"그러니까 말일세. 나도 정말 흥미진진하게 듣는 중일세."

"허험. 그럼 술값하고 안주값은 충분한 게지?"

"하하. 물론이네. 물론이야. 그런데 이야기는 게서 끝인가?"

"욕심도 많네. 충분하다면서 뭘 또 바라는 겐가? 하지만 뒷이야기가 아직 남아 있기는 하지. 술은 떨어졌지만 말이네."

"응? 여기 죽엽청 한 병 더 가져오게! 아, 그리고 오리구이도 한 접시 더 주고!"

"그럼 또 말이 달라지지. 허험. 정신을 차린 고 방주는 고통을 참을 수 없었는지 잔뜩 인상을 찌푸리면서도 주위를 둘러보더군. 그러면서 다 죽어 가는 목소리로 사람들을 향해 이렇게 묻는 거야. '아호는? 아호는 많이 다치지 않았나?' 하고 말이야. 알고 보니 고 방주는 그때까지도 자신이 아호를 이겼다고 생각한 모양이야."

"푸하하하! 착각도 유분수지, 어떻게 그 상황에서 그런 착각을 할 수 있는 게지?"

"뭐 그래도 정신을 차리자마자 아호를 챙긴 걸 보면 역시고 방주도 뼛속까지 나쁜 인물은 아닌 것 같군그래."

"그야 당연하지. 행여 아호가 죽거나 크게 다치기라도 해 봐. 담 장주를 비롯해서 다른 장주들이 얼마나 분노하겠어?"

"음, 그건 그렇지. 아호를 아끼는 사람들이 많기는 하지."

"뭐 어디 장주들뿐인가? 우리도 다들 녀석을 아끼고 귀여워하잖아? 그리고 녀석이 어디까지 성장할지 지켜보고 싶기도 하고 말이야."

"그러니까. 어쩌면 우리는 다음 세대 천하제일인의 어린 시절을 지켜보고 있을지도 모르거든."

"아, 나도 그렇게 생각해. 다섯 장주에다가 유 사부, 만해 사부 등 여러 기인들의 가르침도 가르침이지만, 무엇보다 아호는 정말 노력하는 아이이니까. 천재의 자질을 지닌 데다가 노력하는 재주까지 있고, 거기에 최고의 스승들까지 함께하니 이건 천하제일인이 되지 않으면 안 되는 숙명을 타고났다고나 할까."

"어어, 이야기가 왠지 산으로 가는데? 그래서? 고 방주는 어떻게 되었어?"

"뭐 어떻게 되기는. 자신이 패했다는 걸, 그것도 처참하게 패했다는 걸 알고 쥐구멍을 찾더군. 하지만 만해 사부가 자신을 치료했다는 이야기에 거듭 감사하다고 인사하는 것도 잊지 않더라. 역시 한 방의 방주다운 모습이더라니까."

"그래서? 끝이야, 그게?"

"만해 사부께서 한 보름 정도 운기조식 꼬박꼬박 하면서 요양하면 다시 좋아질 거라고 하셨네. 아울러 내기에 상관없이 고 방주에게 선물을 주었다고 말하셨지."

"선물? 무슨 선물?"

"아니, 언제 주신 거야? 이야기하다가 그 장면을 빠뜨린 거 아냐?"

"아니네. 나도 그렇지만 거기 모여 있던 사람들은 그게 무슨 말인지 몰라 다들 어리둥절했다네. 하지만 고 방주는 미친 것처럼 환호하다가 옆구리가 찢어지는 고통을 느꼈는지, 옆구리를 부여잡고 다시 혼절하더라. 그 모습에 만해 사부가 혀를 차며 무사들에게 고 방주를 처소로 옮기라고 지시하셨네. 자, 그날의 이야기는 이것으로 끝."

"흐음, 그 선물이라는 게 뭘까?"

"글쎄. 나도 궁금하네."

"흠, 나중에 고 방주가 완쾌하면 그때 은근슬쩍 물어봐야 할 것 같으이. 아무래도 만해 사부는 더 이상 말을 하지 않을 것 같으니까 말일세."

"하하, 그래그래. 고 방주가 입이 좀 가볍기는 하지."

"자, 새로 죽엽청이 왔으니 다들 한 잔씩 하자고. 어어,

술맛 좋다!"

그날의 이야기는 이런 식의 술안주로 화평장 무사들에게 퍼졌다.

그렇게 화평장의 모든 무사들이 수군덕대기 때문이었을까. 고굉은 그날 이후 한동안 자신의 거처에서 두문불출, 전혀 그 모습을 드러내지 않았다고 한다.

2. 배신의 의미

담우천과 나찰염요가 함께 움직인다는 건 강만리도 미처 예상하지 못한 일이었다. 하지만 나찰염요의 말에 강만리는 고개를 끄덕였다.

"제가 잘 아는 노인네가 있는데, 그쪽에서는 상당히 유명한 아호(牙戶)이거든요. 그리고 마침 강호에 나가는 김에 꽤 오랫동안 만나지 못하고 있는 다른 동료들도 찾아보려고요."

정사대전 이후 살아남은 사선행자의 수는 그리 많지 않았다. 그리고 담우천과 나찰염요의 핏줄과도 같은 자들은 더더욱 적었다. 그들을 찾아서 화평장에 합류시키면 적지 않은 전력이 될 거라는 게 나찰염요의 설명이었다.

"알겠습니다. 형수께서 어련히 알아서 잘하시려고요."

강만리는 그렇게 말하며 창고 문을 열었다. 창고 가득 쌓여 있던 보물들은 설벽린이 가져가고 화군악과 장예추가 가져가는 바람에 이제 바닥을 보였다.

담우천과 나찰염요는 창고의 먼지 한 톨까지 싹싹 털어서 챙겼다.

"기한은 두 달 정도 잡겠네."

담우천이 말했다.

"그 정도면 상관없습니다. 어쨌든 반년 정도는 여유가 있기는 하지만 그래도 일찍 출발해야죠. 행여 예추 제수씨의 산달이라도 겹치면 큰일이니까요. 그래서 북해빙궁으로의 이주는 유월쯤 시작할 겁니다."

"제수씨가 지금 몇 개월이지?"

담우천이 나찰염요를 돌아보며 물었다.

"여섯 달째로 접어드는 중이에요. 칠월 중순쯤이 출산 예정이라고 하더군요."

나찰염요의 말에 강만리가 살짝 눈살을 찌푸리며 말했다.

"음, 유월이면 제수씨가 조금 힘들 수도 있겠군요. 아무래도 조금 더 앞당겨야 할 것 같네요."

"알겠네. 어쨌든 두 달 안에 돌아오지."

"네. 그렇게 알고 일을 진행하겠습니다."

"아이들을 잘 부탁드려요."

저 나찰염요가 평범한 여느 어머니처럼 말했다.

"하하, 염려 붙들어 매십시오."

강만리가 호탕하게 웃었지만 나찰염요는 여전히 불안한 기색을 감추지 않고 말했다.

"며칠 전에도 아호가 고 방주와 싸웠다던데……."

"싸운 게 아니라 비무라고 들었습니다. 정식 비무죠. 만해 사부도 함께 있어서 큰 문제는 아니었습니다."

"그래도 고 방주가 꽤 다쳤다면서요? 아호를 나쁘게 생각할지도 몰라요."

"네? 아닙니다. 아호 덕분에 만해 사부에게 대환단 한 알을 얻어먹게 되어서 외려 고마워할 겁니다."

"대환단이요?"

"네. 고굉을 치료하면서 한 알 먹였다고 하더군요."

강만리는 어깨를 으쓱거리며 말을 이었다.

"사실 그런 멍청한 녀석에게 주기는 아까운 물건이지만 또다시 생각해 보면 대환단으로 녀석의 무위가 높아진다면 어쨌든 화평장에는 이익이니까요."

"만해 사부에게 대환단이 있었나?"

"아, 네. 정사대전 당시 소림사로부터 비상용으로 몇 알 챙겨 받았다고 하시더군요. 얼마나 남았느냐고 여쭤봤더니 영업 비밀이라고 안 가르쳐 주시네요."

"참, 기인들은 다 그렇게 괴팍하시나 보네요. 그냥 말씀해 주셔도 상관없는 것들까지 그렇게 숨기고 희희낙락하시는 걸 보면 말이에요."

"원래 노인네들이 다 그렇습니다. 또 할아버지의 쌈지에 뭐가 있는지 몰라야만 거기에서 뭔가 꺼낼 때 손자들이 깜짝 놀라지 않겠습니까?"

"그럼 우리는 만해 사부의 손자라도 되는 거네요?"

"하하. 그렇게 되나요."

강만리는 웃으며 걸음을 옮겼다. 그렇게 대화를 나누며 걷던 그들은 어느새 화평장 대문 앞에 이르렀다.

강만리가 물었다.

"아이들과 작은 형수와는 작별 인사를 하지 않아도 괜찮겠습니까?"

"아침 일찍 했네."

"그럼 몸조심하시고요."

"네. 다시 한번 우리 아이들과 소화, 잘 부탁드려요."

세 사람은 그렇게 인사를 하고 헤어졌다.

강만리는 문이 닫히는 걸 지켜보다가 몸을 돌렸다. 그는 잠시 우두커니 서서 주위를 둘러보았다.

며칠 전까지 떠들썩했던 화평장이 절간처럼 조용하게 느껴졌다. 다른 네 명의 형제들이 하나둘씩 장원을 떠난 까닭이었다.

"게다가 고굉 그 녀석도 방에 틀어박혀서 운기조식에 여념이 없으니."

이제 그에게 딴죽을 걸만한 사람은 아란과 정유뿐이었다.

아란에게 생각이 미치자 강만리는 살짝 눈살을 찌푸렸다. 고굉이 창고를 털기 전에 미리 찾아와 그 사실을 이야기했던 그녀의 모습이 떠올랐기 때문이었다.

당시 강만리를 찾아온 아란은 그 후에도 꽤 고민을 하면서 쉽게 입을 열지 못했다. 고굉을 배신한다는 자책감과 그래도 강만리에게 말해 줘야 한다는 압박감 속에서 한동안 입술만 잘강잘강 씹었다.

대문 앞에 서서 그녀의 고민하는 얼굴을 떠올리던 강만리는 길게 한숨을 내쉬며 고개를 설레설레 흔들었다.

사람과 사람 을 이어 주는 관계라는 게 얼마나 힘들고 어려운지 새삼 느낀 것이다.

"이래도 배신, 저래도 배신이라면 결국 수가 적은 쪽을 배신하는 게 옳은 걸까? 아니면 자신의 신념에 따라 선택해야 하나? 모르겠군, 모르겠어."

가장 좋은 건 애초 배신을 해야만 하는 상황을 만들지 않는 것이었다.

하지만 세상일이라는 게 그렇게 평면적이지도, 원칙적이지도 않았다. 사람의 사고방식은 저마다 달랐고 원하는 바나 신념 또한 서로 달랐다.

인간관계는 언제든지 무너지고 붕괴될 수 있었다. 심지어 부모 자식 사이에도 인연을 끊거나 살인도 벌어지는데, 타인과 타인 간의 관계는 더 말할 필요가 없었다.

지인(知人) 때문에 손해를 본다면 결국 그 관계를 끊을 수밖에 없었다. 나를 따돌린다면 나 역시 따돌려야 했다. 그들로 인해 죽을 것만 같다면 결국 그들을 포기하는 게 최선일 수밖에 없었다.

'우리도 그런 관계일까?'

강만리는 무림오적에 대해서 생각했다.

적과 싸울 때는 언제든지 자신의 등을 맡길 수 있는 형제들이었다. 그들을 위해서는 목숨을 바칠 각오도 되어 있었다.

하지만 예예가 걸려 있다면, 그리고 그의 아들 아정의 생사가 문제 된다면 그때도 과연 그들을 배신하지 않을 수 있을까.

'모르겠다, 모르겠어.'

그는 다시 한번 고개를 휘휘 내저었다.

"어차피 일어나지 않은 일, 굳이 사서 고민하고 걱정할 필요가 어디 있나? 그런 일은 닥치고 나서 생각해도 늦지 않지."

그는 투덜거리면서 엉덩이를 긁적였다. 그러고는 무슨

생각을 했는지 발길을 정유의 처소로 향했다.

정유는 그곳에 없었다.

"어디 갔는지 아느냐?"

강만리가 영빈각호위 무사들에게 물었다.

"유운각에 놀러 가신 걸로 압니다."

"유운각? 그곳에는 왜?"

"잘 모르겠습니다만 요즘 그곳에 자주 가십니다."

"그래?"

강만리는 고개를 갸웃거렸다.

유운각은 담우천의 거처였다. 마침 강만리는 담우천을 배웅하고 온 참이었으니 그를 만나러 갔을 리는 없다. 그렇다면 왜…….

"아호 때문인가?"

강만리는 중얼거리며 발길을 돌려 유운각으로 향했다.

그의 추측은 맞았다. 유운각 앞의 공터에는 아호가 무공을 수련 중이었고, 그 모습을 정유와 소홍이 지켜보고 있었다.

그들은 강만리를 보고 활짝 웃었다.

"어라, 형님. 이곳에는 무슨 일이세요?"

정유는 유쾌하게 웃으며 물었다.

"안녕하세요, 강 아저씨."

소홍은 깍듯하게 인사하며 말했다.

그녀는 더 이상 강만리를 향해 오라버니니, 당신이니, 여보니 하는 소리를 하지 않았다. 당연한 일이었고 또 천만다행인 일이었지만, 그래도 아저씨라는 말에 왠지 씁쓸해지는 마음을 감출 수 없는 강만리였다.

"그냥 한번 와 봤다."

강만리는 어슬렁거리며 그들에게 다가갔다. 그러고는 한참 투로를 따라 무공 초식을 펼치는 데 여력이 없는 담호를 지켜보며 입을 열었다.

"무슨 무공이야?"

정유가 대답했다.

"태극밀영십삼수라는 금나수법입니다."

"태극? 태극감찰밀의 무공인가 보네."

"네. 태극감찰밀원들이 필수로 익혀야 하는 금나술입니다. 적을 생포하거나 손쉽게 제압할 수 있는 수법이죠."

"흠, 금나술이라면 나도 제법 한가락 하지. 옛날에는 금나술의 강 포두라는 소리도 들었으니까."

"관아의 금나수법 말씀이죠?"

"그래. 관원이라면 누구든 익혀야 하는 십팔반무공(十八班武功)이 있는데 금나술은 그중 하나야. 뭐, 금나술이라고 해서 하나만 있는 게 아니라서 숙련도에 따라 좀 더 고급의 금나술을 익힐 수가 있지. 나는 그중에서 으뜸이라 할 수 있는 대명포라금나술(大明捕羅擒拿術)까지 익혔다고."

강만리는 어깨를 으쓱거리며 말을 이었다.

"거기에다가 포승(捕繩)을 이용해서 펼치는 탈백탈인 포박술(奪魄奪刃捕縛術)까지 해서, 그야말로 도둑이나 강도들을 꽁꽁 옭아맸거든."

"대단하시네요."

정유는 비아냥인지 칭찬인지 알 수 없는 미소를 지으며 말했다. 강만리는 팔짱을 끼고는 금나술의 달인이라도 된 것 같은 눈빛으로 담호를 바라보며 말했다.

"그런 내가 보기에는 너무 손의 현란한 움직임에 몰두하고 있는 것 같아. 금나술은 얼마나 손을 재빨리 놀리느냐 하는 기술을 보여 주는 게 아니라, 얼마나 빠르게 적을 제압하느냐 하는 게 중요하거든."

"어라? 그건 확실히 옳은 말씀입니다."

"어라, 라니? 그건 또 무슨 소리야?"

"아닙니다. 계속 말씀해 보세요. 또 어디가 문제일까요?"

"흠. 왠지 나를 얕잡아보는 것 같은데?"

"하하, 제가 어찌 형님을 얕잡아보겠습니까?"

"그렇지? 그래. 흐음, 또 보자. 다른 건 다 괜찮은 것 같은데…… 뭔가 조금 어설퍼 보이는 건 무슨 이유이지?

흠, 자세는 낮고, 들어가고 나오는 움직임도 원활하고, 양손이 교차되는 것도 나쁘지 않고…….”

담호가 태극밀영십삼수를 펼치는 모습을 한참이나 살펴보던 강만리가 문득 눈빛을 빛내며 말했다.

“그렇군. 역시 발인가? 아호의 보법이 지금의 금나술과 어울리지 않는 것 같은데?”

“이야!”

그의 지적에 정유가 진심으로 감탄했다.

“언제 이렇게 형님의 식견이 느신 겁니까? 마치 일대종사의 고견을 듣는 것 같습니다.”

“허험, 왠지 날 놀리는 것 같은데?”

“아닙니다. 이번에는 진심입니다.”

“뭐야? 그럼 아까는 놀린 거고?”

강만리가 발끈할 때였다.

투로를 끝낸 담호가 자세를 고쳐 서며 두 손을 앞으로 모으고 숨을 가다듬었다.

지켜보고 있던 소홍이 쪼르르 달려가 그에게 수건을 건넸다. 그녀는 달콤하게 웃으며 물었다.

“힘들지? 차 좀 가져다줄까?”

“고마워요, 누나.”

담호가 환하게 웃으며 말했다.

“으음?”

강만리의 눈이 휘둥그레졌다. 그는 멀뚱한 눈으로 담호와 소홍을 바라보다가 정유에게로 시선을 돌렸다.

정유가 쓴웃음을 흘리며 고개를 끄덕였다.

"허어!"

절로 강만리의 입에서 의미 불명의 탄식이 흘러나왔다.

3. 사부 노릇

"투로를 외우면 투로를 잊으라는 격언이 있다. 무슨 뜻인지 알겠니?"

정유는 마치 제자를 앞에 둔 사부처럼 물었다.

"투로에 얽매이지 말고 자유자재로 운용하라는 뜻 같은데요."

담호는 조심스레 대답했다.

"그래, 잘 아는구나. 맞다. 바로 그런 뜻의 격언이지."

정유가 고개를 끄떡이며 말했다.

"그리고 그 격언을 좀 더 확대하면 손놀림 자체에 너무 얽매이지 말고 순간순간 응용력을 펼칠 수 있어야 한다는 의미도 되겠지. 지금 너는 너무 배운 대로 정직하게 움직인다. 그래서 한 번, 두 번, 세 번 만에 잡을 걸 일고여덟 번까지 끌고 가는 것이다."

"무슨 말인지 알겠어요."

"그래. 그리고 두 번째, 태극밀영십삼수를 펼칠 때는 지금의 보법이 아닌, 앞으로 내가 가르쳐 줄 보법을 펼치도록 해. 원래 손과 발은 하나라고, 서로의 상성이 좋은 무공들을 연계해야만 더 빛을 발하니까."

담호의 눈이 반짝였다.

"그럼 보법도 가르쳐 주실 건가요?"

"아, 일전에 아창에게 가르쳐 준 보법 기억하니?"

"네. 오행보(五行步)라고 하셨던 것 말이죠?"

"그래. 그걸 기본으로 해서 보다 전투적으로 응용해서 만든 보법으로 태극오행신보(太極五行神步)라는 게 있다. 앞으로 그걸 익혀서 태극밀영십삼수와 연계해서 사용하도록 하자."

"알겠습니다, 사부."

"하하, 사부는 무슨. 평소처럼 숙부라고 불러라."

"네, 정 숙부."

"그리고 사실 이 둘의 문제점을 짚어 준 건 강 숙부이시란다."

"강 숙부가요?"

정유의 말에 담호는 놀라며 강만리를 돌아보았다. 강만리는 소홍과 잡담을 나누다가 그 시선을 인식했는지 담호를 돌아보며 고개를 끄덕였다.

담호는 황급히 고개를 숙여 인사했다.

"고맙습니다, 강 숙부."

"고맙기는. 앞으로도 정 숙부에게 잘 배워라. 아직도 네가 털 만한 무공이 무궁무진할 테니까."

"형님, 그건 또 무슨 소리입니까?"

"됐다. 그럼 나는 이만 가마."

강만리는 소홍의 어깨를 다독이고는 어슬렁거리며 자리를 떴다. 등 뒤에서 담호와 정유가 두런두런 이야기를 나누는 소리가 들려왔다. 역시 조금 전의 자세와 움직임에 관한 이야기였다.

'나쁘지 않군.'

강만리는 무심결에 고개를 끄덕였다.

'정유 녀석이 혹시라도 침울해 있지 않을까 해서 기운이라도 북돋아 줄 겸 찾아가 봤더니, 사부 노릇을 하는 데 단단히 재미를 붙인 모양이네. 잘됐다.'

강만리는 위정전으로 발길을 옮기며 계속 생각에 잠겼다.

'그나저나 언제부터 소홍이 아호를 좋아하게 된 거지? 허 참, 남녀 일이라는 건 알다가도 모르겠다니까. 네다섯 살 어린 동생이라고 잘 놀아 주다가 정이 쌓인 건지는 모르겠다만……. 흠, 그나저나 언제까지 소홍이 여기 있으려나?'

소홍은 십삼매의 부탁으로 이곳에 머무는 중이었다. 위천옥이 소홍을 탐낸다고 하면서 숨겨 달라고 한 지가 벌써 보름이 지났다.

그리고 그 위천옥이 성도부를 떠난 지도 열흘 가까이 흘렀다. 그런데도 여전히 소홍은 이곳 화평장에 머물고 있었다.

강만리는 혹시 화평장의 정보를 빼내려고 일부러 계속 머무는 건 아닐까 하고 소홍과 잠시 대화를 나누면서 슬쩍 떠보았다.

그러나 소홍은 온통 담호 생각뿐인 듯했다. 이야기마다 아호가 어쩌고저쩌고하며 종알거릴 뿐이었다. 그야말로 사랑에 빠진 소녀의 얼굴이고 눈빛이며 목소리였다.

'뭐, 아직은 시간이 충분하니까.'

강만리는 오가는 이들의 인사를 받으면서 위정전에 당도했다.

대청에는 아무도 없었다. 며칠 전 화군악과 장예추, 설벽린이 장원을 떠났고, 오늘 담우천이 나찰염요와 길을 나섰다. 대청이 썰렁한 건 당연한 일이었다.

강만리는 대청 중앙에 놓인 탁자 앞에 털썩 앉았다. 오래간만에 느끼는 한가함이었다.

"다들 바쁘군그래."

강만리는 의자에 등을 기댄 채 축 늘어진 모습으로 중

얼거렸다.

다들 바빴다. 정유는 담호를 가르치느라 바빴다. 예예를 비롯한 화평장의 안주인들은 성도부를 떠나 저 먼 북해빙궁까지의 여정을 준비하느라 정신없이 바빴다. 그녀들은 오늘도 장에 가서 두꺼운 겨울옷과 신발들을 사겠다며 아침 일찍 마차를 타고 화평장을 나섰다.

심지어 고굉과 아란도 나름대로 바빴으며, 헌원 노대역시 장원에 설치되었던 기관이나 암기들을 원상 복구하여 재사용하는 방법을 두고 골치를 썩는 중이었다.

할 일을 찾지 못해 이리저리 방황하는 건 오로지 강만리뿐이었다.

사실 지금 그가 당장 해야 할 일은 없었다.

아란의 제보를 받고 고굉이 창고를 털러 오기를 기다렸다가 나름대로 벌을 준 것으로 그 일은 마무리.

며칠 전의 새벽녘 백노의 시신을 꺼내 포대기에 싸서 버드나무 길 입구에 던져 놓았고, 기다리고 있었다는 듯이 세 명의 인물이 홀연히 나타나 그 시신을 챙겨 사라졌다. 그것으로 허 노야와의 일은 끝.

십만대산의 보물과 황태자의 주완룡의 보물을 처리하는 일도 이날 담우천과 나찰염요가 장원을 떠나는 것으로 강만리의 손에서 벗어났다.

그러니 지금 당장 강만리가 할 수 있는 일이라고는 그

저 이렇게 대청에 느긋하게 앉아서 사람들이 돌아오기만을 기다리는 것뿐이었다.

"으음."

강만리는 팔베개를 하면서 중얼거렸다.

"한창 바쁠 때는 하루라도 한가하게 지내는 게 소원이었는데, 이렇게 며칠 한가하게 지내니까 정신없이 바쁠 때가 그리워지네. 참, 사람 마음이라는 게 간사하다니까."

잠시 투덜거리던 그는 오늘 저녁은 뭘 먹을까 하고 고민하기 시작했다.

* * *

벌써 삼월 중순에 접어들었으니, 겨울옷은 이미 다 들어가고 보이지 않는 게 당연했다.

예예와 소화, 당혜혜와 정소흔이 성도부 모든 장터를 샅샅이 뒤진 끝에 적잖은 겨울옷들을 살 수 있었던 건 행운이라 할 수 있었다.

"하하. 굳이 이곳에서 장만하지 않으셔도, 북해에도 겨울옷이 많다고 몇 번이나 말씀드렸는데……."

그녀들의 호위로, 마차의 마부로 따라온 양위가 웃으며 말했다.

"그건 나도 당연히 알죠. 북해빙궁 출신이니까요."

예예는 사 온 옷과 신발들을 마차에 넣으며 말했다.

"하지만 북해에서 사는 것과 이곳에서 사는 건 기분부터가 다르거든요. 그렇죠, 언니?"

다른 여인들도 마치에 짐을 실으며 고개를 끄덕였다.

양위는 뭐가 다른지 묻고 싶었다. 하지만 그 답을 들어도 남자인 자신은 결국 이해하지 못할 거라는 생각이 언뜻 들어서 포기하고 화제를 돌렸다.

"그럼 다 사신 겁니까?"

"대충요. 이제 장원으로 돌아가요."

여인들이 한 명씩 마차에 올랐다. 예예는 이제 제법 배가 불룩한 당혜혜의 손을 잡아 주며 마차에 편히 오를 수 있도록 도와주었다.

"고마워."

당혜혜가 배를 감싸며 앉았다. 그녀의 입에서 끄응, 소리가 절로 흘러나왔다.

정소흔이 웃으며 말했다.

"혜혜는 아저씨가 다 되었어."

"그러니까요."

당혜혜도 이마의 땀을 닦아 내며 따라 웃었다.

"배가 점점 불러 오니까 이젠 조금 힘들어지네요."

"앞으로 더 그럴 거야. 그러니까 마차에서 편히 쉬라고 했잖아? 굳이 온 장터를 다 돌아다니면서 왜 더 힘들게 해?"

"운동 삼아 돌아다닌 거예요. 산파(産婆) 이야기를 들어 보니까 지금은 저나 아이를 위해서 열심히 걸어야 한다던데요. 그래야 애를 낳을 때도 좀 더 쉽게 낳는다고 하더라고요."

"음? 그랬나? 나 때는 어땠나, 기억이 나지 않네."

정소흔의 말에 뒤늦게 마차에 오른 예예가 피식 웃으며 말했다.

"소군을 낳은 지 겨우 이 년밖에 되지 않았는데도 기억이 나지 않아요?"

"정신없었으니까."

정소흔이 미소를 지으며 말했다.

"생전 처음 임신한 거였잖아? 맨날 허둥대기만 하느라 뭘 어떻게 했는지 기억이 나지 않아. 아, 입덧 때문에 정말 고생했던 거, 그거 하나 기억난다."

"그리고 보니 혜혜 언니는 입덧을 거의 하지 않았네요."

"응. 초기에만 조금 하는가 싶더니 지금은 너무 잘 먹어서 탈이야. 이러다가 처음 보았을 때의 만해 사부처럼 되겠어."

당혜혜의 말에 여인들은 항아리와 같은 모습으로 처음 화평장을 찾아왔던 만해거사를 떠올리고는 다들 까르르 웃음을 터뜨렸다.

소화도 빙긋 미소를 지었지만, 그 미소는 생각보다 그리 밝지 않았다. 아무래도 그녀만 애를 가져 본 적이 없기 때문일 것이다.

그런 자격지심 때문일까. 마차에 오른 이후부터 그녀는 단 한 마디도 하지 못하고 있었다.

"그럼 출발합니다."

마부석에서 양위의 목소리가 들렸다. 그리고 마차가 천천히 움직이기 시작했다.

마차는 곧장 장터를 빠져나왔다. 장터 앞길은 행인들과 마차와 수레가 한데 뒤섞여서 복잡하기 그지없었다.

"마차가 갑니다!"

양위는 말고삐를 흔들며 연신 소리쳤다. 대부분의 행인들은 그의 경고를 듣고 좌우로 몸을 비켰지만 몇몇 행인들은 욕설을 하거나 침을 뱉기도 했다.

"이 번잡한 곳까지 마차는 무슨 마차야!"

"다치거나 죽으면 네놈이 책임질 거야?"

양위는 그들의 욕설을 무시한 채 천천히 말을 몰았다. 마차는 조심스레 이동하여 이윽고 큰길로 접어들었다. 그제야 조금 시야가 트이고 속도를 낼 수 있게 되었다.

'응?'

막 속도를 내려던 양위는 고개를 갸웃거렸다. 살짝 마차가 무거워진 듯한 기분이 들었던 것이다.

"고양이라도 올라탄 거야?"

양위는 중얼거리며 뒤를 돌아보았지만, 고양이는커녕 아무것도 보이지 않았다.

그는 고개를 갸웃거리며 이목을 집중하여 마차 주변의 기척을 탐지했다. 역시 마차 안의 여인들을 제외하고는 아무런 기척도 찾을 수가 없었다.

"착각이었나?"

양위는 중얼거리며 마차의 속도를 올렸다.

그들을 태운 마차는 곧장 화평장을 향해 달리기 시작했다.

3장.
용담호혈(龍潭虎穴)

그의 주먹이 맹렬하게 담벼락을 가격했다.
천 근 바위도 박살 낼 것처럼 강렬한 주먹이었는데,
믿어지지 않게도 담벼락에는 아무런 흔적도 남지 않았으며
아무런 소리도 일지 않았다.

용담호혈(龍潭虎穴)

1. 혈혼암귀(血魂暗鬼)

양위의 마차는 안전하게 버드나무 길 입구에 들어섰다.

화평장의 망루를 지키고 있던 무사가 마차를 확인하고는 곧바로 수신호를 보냈다. 화평장 일대에 펼쳐진 진법의 가동이 잠시 멈췄다.

마차는 미끄러지듯 화평장 입구까지 들어섰다. 중앙 대문이 열리고 마차가 안으로 들어섰다. 사람들이 내리고 무사들이 달려와 짐을 풀었다.

무사 한 명이 양위를 대신하여 마차를 우측의 창고로 집어넣고 말들을 풀어 마구간으로 데려갔다.

화평장의 안주인들은 두런두런 대화를 나누며 내당으로 향했다. 양위가 그녀들을 호위하듯 뒤를 따랐다.

"그럼 저녁때들 봐요."

　예예의 말과 함께 여인들은 각자의 처소로 발길을 옮겼다.

　양위는 주위를 둘러보았다. 왠지 기분이 좋지 않았다. 그의 육감이 무언가를 말해 주는 듯했다.

　하지만 아무리 주위를 둘러보고 기척을 확인해 봐도 별다른 걸 느끼거나 알아차릴 수가 없었다.

"몸보신이라도 해야 하나?"

　잠시 우두커니 서 있던 그는 고개를 갸우뚱거리더니 다시 외당으로 발길을 돌렸다.

　그리고 얼마 지나지 않아 그가 우두커니 서 있던 바로 그 자리에서 붉은 그림자가 꿈틀거리며 모습을 드러냈다.

　다름 아닌 위천옥의 혈노였다.

＊　＊　＊

"죄송합니다."

　청노는 다시 사과해야만 했다. 위천옥이 어이없다는 표정을 지었다. 청노는 허리를 구십 도로 꺾은 채 말을 이었다.

"혈노는 자신이 책임지고 반드시 백노를 찾겠다면서 끝까지 돌아오지 않았습니다. 아무리 종용해도 그의 고집을 꺾을 수가 없었습니다."

"이런."

위천옥이 한숨을 내쉬었다.

"정말 좋게 좋게 대했더니 다들 나를 완전히 물로 보는구나. 내가 진짜 화난 모습을 보고 싶은 거야?"

"죄송합니다만 그런 건 아닙니다. 어찌 감히 저희가 소야를 그리 생각하겠습니까? 단지 소야의 지시를 제대로 이행하지 못한 책임감과 또 평소 백노와 상당히 친했던 관계로, 목숨을 걸고 그를 찾으려 하는 것 같습니다. 부디 그 충정과 의리를 굽어살펴 주십시오."

"충정? 의리? 아니, 그렇게 내게 충성을 바친다면, 그럼 내가 돌아오라고 명령한 건 왜 듣지 않지? 그리고 백노에 대한 의리가 내 명령보다 더 중요한 거야?"

"죄송합니다."

청노는 연거푸 사과하며 말했다.

"저도 그리 말해 보았습니다만, 첫 번째 명령을 수행할 때까지 두 번째 명령은 보류하겠다며 고집을 부려서……도저히 그를 데리고 오지 못했습니다."

"이런, 이런. 만약 허 영감이 있어서 이 이야기를 들었다면 얼마나 비웃었겠어? 몸종이라고 이제 몇 남지 않았는데도 그거 하나 제대로 관리하지 못한다고 말이야. 정말 이게 무슨 창피람?"

위천옥은 한숨을 쉬다가 불쑥 물었다.

"그래, 그럼 언제까지 돌아오지 않겠다는 거야?"

"백노를 찾을 때까지라고 했습니다."

"못 찾으면?"

"반드시 찾겠다고 했습니다. 반드시 백노를 찾아서 소야께 데리고 갈 거라고 했습니다. 그때 소야의 돌아오라는 명령을 불복한 죄, 달게 그 벌을 받겠다고 했습니다."

"흥! 죄를 지은 건 아나 보지?"

"물론입니다. 이번에 소야의 명에도 불구하고 돌아오지 않은 건 어차피 죽을 각오를 했기 때문입니다."

"흥! 누구 마음대로! 누구 마음대로 죽는다는 거야? 내가 허락하지 않는 이상 너희들은 절대로 죽을 수 없어. 알겠어? 너희들이 죽고 사는 건 오직 내가 결정하는 것이다! 죽여도 내가 죽이고, 살려도 내가 살릴 거야!"

"명심하겠습니다, 소야."

"젠장."

위천옥은 짜증을 가라앉히려는 듯 잠시 입을 다물었다. 청노는 묵묵히 허리를 숙이고 있었다.

이윽고 향 하나 탈 정도의 시간이 흘렀다. 위천옥은 길게 한숨을 쉬며 입을 열었다.

"어쩔 도리 없지. 좋아. 죽이 되든 밥이 되든 알아서 하라고 해. 하지만 서안으로 올 때는 반드시 백노를 데리고 오든가, 아니면 백노가 사라진 이유를 알아 오든가 해야 하는 거야. 맨손으로 올 작정이면 이곳에서 뒈지라고 해."

"그리 전하겠습니다."

"전하기는 뭘 전해? 조금 있다가 성도부를 떠날 건데. 됐어. 그냥 가자."

"알겠습니다."

* * *

혈혼암귀가 위천옥의 귀환 명령을 가지고 온 청노를 홀로 돌려보낸 건, 위천옥의 명령을 수행하지 못했다거나 혹은 백노와 친했기 때문이 아니었다.

단지 그는 자신의 주특기 중의 하나인 추격술이 이대로 좌절하면 안 된다고 생각했던 것이다.

아무리 천리향이 사라졌다 한들 추격의 목표로 삼은 존재, 즉 백노가 수천 리 밖으로 도망친 것도 아니고 반드시 이곳 성도부 안에 있을 텐데 그걸 찾지 못하고 중간에서 단념한다는 건 그의 자존심이 허락하지 않았다.

그래서 혈혼암귀는 위천옥의 귀환 명령을 듣지 않았

다. 물론 청노에게는 듣기 좋은 말을 하면서 돌려보냈다. 자존심이 걸린 문제 운운한다면, 아무리 청노라 하더라도 쉽게 돌아가지 않을 테니까.

'어쩌면 미친 녀석이라는 소리를 들었겠지.'

혈혼암귀는 그렇게 생각하며 홀로 웃었다.

그는 반드시 백노의 흔적을 발견할 거라는 확신이 있었다. 시간만 충분하다면, 그리고 게으름을 피우지 않는다면 겨우 성도부 내에서 사라진 흔적을 놓칠 이유가 없었다.

혈혼암귀는 성도부를 샅샅이 뒤지기 시작했다. 그가 제일 먼저 눈독을 들인 곳은 기루였다.

'백노가 쫓아간 마차에는 계집들만 타고 있다고 했으니.'

어쩌면 기루의 기녀들일 가능성이 컸다. 그것도 팔두마차를 운용할 정도의 규모라면 성도부에서도 제법 유명한 기루일 것이 틀림없었다.

혈혼암귀는 성도부 기루들을 순례하듯 차례로 잠입했다. 가장 크고 유명한 기루에서부터 돈 없는 술주정뱅이나 드나드는 싸구려 기루까지, 모든 기루에 잠입하여 모든 기녀들을 훔쳐보고 관찰했다.

그러나 어디에서고 백노의 냄새는 나지 않았다. 또한 무림 고수의 기척도 전혀 느낄 수가 없었다.

결국 혈혼암귀는 기루는 아니라고 결론을 내렸다.

백노는 무림의 고수였다. 그런 인물이 실종되었다는 건 그가 뒤쫓던 마차의 인물들 역시 무림의 고수라는 의미가 되었다. 기루에는 그만한 고수들이 없었다.

그래서 이번에는 객잔과 다관(茶館)과 주루를 돌아다니면서 무림인들을 관찰했다. 그 무림인 중에서도 백노보다 강해 보이는 고수를 찾아다녔다.

하지만 아무리 성도부가 번화하고 사람이 많다 한들 백노보다 강한 무림 고수는 좀처럼 발견하기 힘들었다. 행여 그런 고수의 낌새가 있고, 냄새가 난다 해서 뒤쫓아가면 결국 그들의 발걸음은 황계나 유령교에서 멈췄다.

'유령교 아니면 황계⋯⋯. 그 정도로군, 이 성도부는.'

혈혼암귀의 입에서 절로 한숨이 흘러나왔다.

그렇게 며칠 동안 성도부 곳곳을 돌아다니던 혈혼암귀는 혹시나 하는 마음으로 장터를 찾았다.

아주 단순한 생각이었다. 여인들이라고 했으니 장을 볼 수도 있지 않을까 하는, 그야말로 지푸라기 잡는 격의 발걸음이었다.

아침 장터는 정신없었다. 많은 사람으로 붐볐고 흥정하는 소리, 호객하는 소리가 귀를 아프게 만들었다.

그 인파의 흐름 속에서 걸음을 옮기던 혈혼암귀가 한순간 저도 모르게 걸음을 멈췄다.

'응?'

혈혼암귀는 제 눈을 의심했다.

그의 정면에는 마차 한 대가 서 있었고, 아름답게 생긴 여인네들이 짐을 싣는 중이었다. 아쉽게도 팔두마차는 아니었지만, 여인들에게서는 무림인의 냄새를 맡을 수 있었다. 그것도 상당한 실력자의 냄새.

'고수들이다, 이 계집들 모두. 아, 아니군. 한 명은 아예 무공을 모르네.'

혈혼암귀는 그녀들 주변을 서성이며 코를 킁킁거렸다. 그녀들의 냄새를 확인하는 작업이었다.

희한하게도 상당한 실력을 지닌 것으로 짐작되는 여인들은 그의 존재를 전혀 인식하지 못했다. 심지어 여인들의 호위 격이자 마부로 따라온 듯한 중년의 사내 역시 아예 혈혼암귀의 존재를 모르고 있었다.

주변에 워낙 많은 사람이 오가고 있기 때문인지, 자신들의 일에 정신이 팔린 것인지, 아니면 혈혼암귀가 자신의 존재를 워낙 잘 숨긴 까닭인지는 모르겠지만, 여인들이 모두 마차에 오르고 사내가 마차를 출발하려 할 때까지만 하더라도 누구 하나 혈혼암귀의 존재를 알아차리지 못했다.

혈혼암귀는 마차가 장터를 벗어나 큰길로 접어드는 동시에 마차로 뛰어올랐다.

바로 그때였다. 뭔가 이상함을 느낀 듯 마부가 뒤를 돌아보았다.

'헉!'

안심하고 있던 혈혼암귀는 깜짝 놀라며 몸을 숨겼다. 마부는 한동안 주위를 둘러보다가 고개를 갸웃거리고는 다시 마차를 몰기 시작했다.

'호오. 생각보다 감이 좋은 친구네.'

혈혼암귀는 거듭 조심해야 한다고 되뇌면서 마차 안으로 스며들었다.

그가 익힌 혈수암영(血水暗影)의 은잠술은 천축의 유가밀공에서 그 본류를 찾을 수 있는 사파의 무공이었다.

조그마한 틈이 있으면 어디든 비집고 들어가거나 빠져나올 수 있는 무공이 바로 혈수암영이었다.

마치 혈액이 지면 속으로 사라지듯, 빗물이 기와 사이로 흘러내려 천장에 고이는 것처럼 혈혼암귀는 혈수암영을 이용하여 세상 그 어디든 갈 수 있는 능력을 얻게 되었다.

그리하여 혈혼암귀는 그 능력을 십분 발휘하여 잠입술의 달인, 추격술의 귀재라는 소리까지 들을 수 있게 되었다.

지금도 그랬다.

혈혼암귀가 마차 안으로 은밀하게 잠입했지만 마차 안

의 여인들은 그 누구도 그의 존재를 인식하지 못했다.

그녀들은 아무런 거리낌 없이 온갖 이야기를 늘어놓았다. 그 대화를 통해서 혈혼암귀는 이 여인들이 한 가족임을 알아차렸다.

'희한하군.'

혈혼암귀는 그녀들을 바라보면서 흥미로워했다.

지금 마차 안에서 수다를 떠는 여인들의 냄새가 각각 다 달랐기 때문이었다.

문파마다 고유의 냄새가 있었다. 정파와 사파, 마도의 냄새도 서로 달랐다. 익힌 내공이 다르고 무공이 다르면 그들에게서 흘러나오는 냄새도 다를 수밖에 없었다.

혈혼암귀는 그 냄새를 맡을 수가 있었고, 그것으로 상대의 무공이 무엇인지 문파가 어디인지 알 수 있었다.

그런 능력을 지닌 혈혼암귀가 생각했을 때, 이 여인들은 최소한 세 문파의 제자들이었다.

'하나는 음한지공(陰寒之功)을 익혔고 하나는 도가(道家) 계열의, 그것도 아주 정통적이면서도 강력한 심법을 익힌 것 같군. 뭐, 무당파 제자일 가능성이 크겠네. 그리고 저 임신한 계집은 아무래도 사천당문의 냄새가 농후해. 사천당문 사람들은 평소 독과 암기를 애용하기 때문에 냄새가 지독한 편이거든.'

놀랍게도 혈혼암귀는 단지 그 냄새만으로 예예와 정소

흔, 그리고 당혜혜의 내력을 거의 완벽하게 추리하고 있었다.

그러던 어느 순간 마차의 속도가 느려졌다.

'목적지에 다 왔나 보군.'

혈혼암귀는 다시 마차 밖으로 스멀스멀 기어 나왔다. 마차는 막 버드나무들이 줄지어 서 있는 골목길로 접어드는 중이었다.

혈혼암귀는 주변을 둘러보았다. 십여 채의 크고 작은 장원들이 밀집해 있는 가운데, 유난히 한 장원이 그의 시야에 들어왔다. 일반 장원에는 어울리지 않는 큼지막한 망루들이 우뚝 서 있는 장원.

혈혼암귀는 가늘게 눈을 뜨고 그 장원의 현판을 살폈다.

화평장(和平莊).

바로 그 장원의 이름이었다.

2. 냄새와 기척

안전하게 화평장으로 잠입한 혈혼암귀는 사람들의 기척이 모두 사라진 걸 확인한 후 모습을 드러냈다.

그는 주위를 둘러보았다.

그가 서 있는 곳을 경계선으로 해서, 안쪽으로는 아늑하고 아담하며 오밀조밀하게 꾸며진 정원이 있었고 바깥쪽으로는 연무장처럼 넓고 탁 트인 공간이 보였다.

'안쪽이 내당이고, 바깥쪽이 외당인가 보군.'

그럼 당연히 안쪽, 내당을 돌아 봐야 했다. 이 장원에 누가 사는지, 그리고 누가 주인이고 어떤 인물인지부터 확인해야 했다.

백노가 이곳에 있느냐 없느냐는 그 후에 살펴봐도 늦지 않았다.

'아까 계집들이 어느 방향으로 갔더라?'

혈혼암귀는 네 명의 여인들이 각자 발길을 향한 방향을 떠올렸다. 그리고 가장 만만한, 내공이 전혀 느껴지지 않던 여인이 향했던 방향을 기억하고 그곳을 향해 움직여 나갔다.

놀랍게도 내당 곳곳에는 경비 무사들이 있었고 전각 앞에는 호위 무사들이 지키고 있었다. 더더욱 혈혼암귀를 놀라게 만든 건 곳곳에 설치되어 있는 함정들과 암기, 기관 장치들이었다.

'미쳤군, 이곳은.'

하마터면 저도 모르는 사이 기관을 건드려서 벌집이 될 뻔했던 혈혼암귀는 혀를 내둘렀다.

그동안 그가 잠입한 그 어떤 곳보다도 경계가 심한 곳

이었다. 믿을 수 없게도 겨우 일개 장원에 불과한 이곳이, 저 태극천맹의 맹주가 거처하는 곳보다도 오대가문보다도, 심지어 황궁보다도 더 움직이기 힘들고 전진하기 어려웠다.

'이건 사천당문의 암기들이로군. 허어, 이건 무당파의 진식 같은데? 세상에! 그것들이 어떻게 한 구역에 공존할 수가 있는 거지?'

혈혼암귀는 입을 쩍 벌렸다. 수풀 속에 몸을 감췄다가 석등 뒤로 돌아 숨었다가 다시 월동문에 몸을 숨긴 혈혼암귀는 놀란 가슴을 진정시키느라 애를 써야만 했다.

'용담호혈, 용담호혈 하지만 이런 곳이 진짜 용담호혈이겠구나.'

혈혼암귀는 그렇게 중얼거리면서 다시 원동문 안쪽으로 진입했다.

백여 평 정도 되는 마당, 혹은 연무장으로 짐작되는 공간이 있었다. 그 뒤로는 수풀로 에워싸인 전각 한 채가 있었는데, 혈혼암귀가 쫓던 여인의 냄새는 그 전각 안에서 흘러나오고 있었다.

곧장 전각으로 잠입하려던 혈혼암귀가 멈칫거렸다. 연무장에서 한 소년이 무공을 수련하는 광경이 언뜻 시야에 들어왔던 것이다.

사실 소년이 수련하는 광경이야 특별할 게 없었다. 어

느 세가를 잠입하더라도 저만한, 아니 저보다 더 어린 소년들도 무공 수련에 열중하고 있었으니까.

혈혼암귀의 발길을 잡은 대목은 따로 있었다.

첫째는 소년의 숙련도가 혈혼암귀의 상상을 초월하고 있었다는 것이었고, 둘째는 그가 지금 수련하고 있는 무공이 상당히 낯익다는 점이었다.

'아니, 겨우 열서너 살 정도 되어 보이는 애송이의 실력이 어떻게 저럴 수가 있지?'

혈혼암귀는 저도 모르게 소년을 뚫어지게 바라보면서 감탄했다.

물론 그는 괴물 위천옥이 성장하는 과정을 처음부터 끝까지 지켜본 경력이 있었다. 천재에게 최고의 스승과 최고의 무공, 그리고 수많은 영약들이 무한하게 지원된다면 과연 얼마나 빠르게 강해질 수 있는지, 얼마나 강해질 수 있는지 직접 두 눈을 본 경험이 있었다.

그런 혈혼암귀에게 있어서 어지간한 소년 고수 정도는 눈에 들어올 리가 없었다.

어쨌든 위천옥은 사람이 아니었다. 일반적인 경우는 절대 아니었다. 그러니 위천옥의 성장을 두고 다른 소년들과 비교해서는 안 되는 일이었다.

하지만 설령 그런 걸 감안하지 않더라도 지금 저 연무장의 소년은 뛰어난 자질을 가졌고 강한 실력을 보유했다. 위천옥을 제외한다면, 지금까지 혈혼암귀가 훔쳐보 았던 그 어떤 소년 고수들보다 훨씬 더 강하게 느껴졌다.

'허어, 어느 방면의 고수가 저런 꼬마를 키우고 있을 까?'

궁금해졌다.

게다가 아무리 봐도 지금 저 소년의 펼치는 무공은 낯 이 익었다.

혈혼암귀는 뚫어지게 소년을 지켜보다가 살짝 고개를 갸웃거리며 속으로 중얼거렸다.

'혹시 저건 사선행자의 무공이 아닐까?'

그의 얼굴이 딱딱해졌다.

사선행자는 무적가가 만든 집단으로, 과거 정사대전 당 시 수많은 사마외도의 고수들을 뒤쫓고 척살했다.

혈혼암귀도 그들의 추격을 받은 적이 있었고, 생사를 걸고 싸운 적도 있었다. 심지어 사선행자의 우두머리인 담우천이라는 자에 의해 목숨을 잃을 뻔한 적도 있었다. 당연히 기분이 좋을 리가 없었다.

'아무리 봐도 수라참쇄십이식(修羅斬碎十二式)을 권법 으로 바꿔 펼치는 것 같다.'

수라참쇄십이식은 도법(刀法)이었다. 말 그대로 수라, 즉 사마외도의 인물을 베고 박살 낸다는 도법이었다. 그 강렬하고 가공할 파괴력에 얼마나 많은 사마외도의 고수들이 목숨을 잃었는지 모른다.

'음, 그렇다면 이곳은 살아남은 수라행자들의 은신처일 가능성이 크군그래. 응? 그렇다면 왜 사천당문의 계집과 무당파의 계집들이 함께 있는 거지?'

일순 혈혼암귀의 머릿속이 복잡해졌다. 나름대로 일관성을 지니고 유추하던 흐름이 급격하게 헝클어지고 얽혔다. 그 기묘한 조합을 도저히 이해할 수가 없었다.

'속단하지 말자. 또 속단할 필요도 없다. 조금 더 자세히 살펴보면 되는 게고, 시간은 충분하니까.'

혈혼암귀가 고개를 저어서 훌훌 잡념들을 털어 내며 그렇게 생각할 때였다. 수련에 열중이던 소년이 갑자기 고개를 돌려 그를 쳐다보았다.

'어이쿠!'

혈혼암귀는 황급히 고개를 숙였다. 동시에 수풀 뒤에 숨어 있던 그의 신형이 그대로 녹아내려 지면으로 스며들었다.

이 정도로 빠르게 숨었다면 대부분, 저 마차를 몰던 마부처럼 '뭔가 착각했나 보네.' 하고 신경 쓰지 않을 게 분명했다.

그러나 연무장의 소년은 그렇게 하지 않았다.

"거기 누구 있어요?"

소년이 크게 소리쳤다. 그 소리를 듣고 주변 경계를 서던 무사들이 빠르게 몰려들었다.

'이런 젠장.'

혈혼암귀가 속으로 투덜거렸다.

자신의 은신이 들킬 리는 없었다. 단지 조금 더 주의하고 경계해야 하는 그런 번거로움이 생긴 게다. 그게 귀찮은 것이다.

'이 은잠술을 오래 펼치면 두통이 심해지니까. 되도록 신경을 덜 쓰는 게 아무래도 편한데 말이지.'

혈혼암귀는 내심 그렇게 중얼거리면서 주위 상황을 지켜보았다.

소년, 담호가 월동문 오른쪽 담벼락 근처에서 시선을 떼지 않는 가운데 무사들이 몰려들었다.

"무슨 일이냐, 아호?"

"누가 있냐고 소리쳤지? 그렇게 들었는데."

담호는 자신이 바라보는 방향을 가리키며 말했다.

"확실하지는 않지만 저곳에서 기척을 느꼈어요."

"그래?"

무사들은 황급히 칼과 검을 빼 들었다.

십여 명의 무사들이 모였지만 누구 하나 담호의 말을 의심하는 이가 없었다. 그들 모두 담호가 자신보다 훨씬 강하다는 사실을 익히 잘 알고 있었다.

무사들은 최대한 경계하며 담벼락 주위를 에워쌌다.

담호도 그들과 함께 담벼락 근처로 이동했다. 무사들은 주변 낮게 자란 수풀을 조심스레 헤치며 수상한 자가 있는지 확인했다.

"어어?"

담호의 눈이 커졌다.

아무것도 없었다. 사람은커녕 고양이나 쥐새끼도 보이지 않았다. 심지어 그 흔한 풀벌레 한 마리도 없었다.

"뭔가 착각한 거 아냐?"

주변을 다 둘러본 무사들은 그제야 경계심을 풀고 활짝 웃으며 담호에게 말을 건넸다.

"워낙 집중하고 있던 까닭에 개미 기어가는 것까지 기척으로 느낀 것일지도 몰라."

"하하하. 우리의 아호라면 그럴 수도 있을 것 같다."

"그래. 하지만 매번 개미의 기척까지 느껴서 우리를 부르지는 말라고."

"그럼 열심히 수련해라."

무사들은 그렇게 말하며 자리를 뜨려고 했다.

"잠깐만요."

담호가 그들을 불러 세웠다. 무사들은 다시 걸음을 멈추고 담호를 돌아보았다. 담호는 여전히 수풀 뒤쪽을 노려보고 있었다.

"아무래도 뭔가가 있어요."

무사들이 웃음을 터뜨렸다.

"하하하! 투명 인간이라도 있는 거야?"

"아니, 설마 귀신의 기척까지 느끼는 건 아니겠지?"

"에이, 귀신이 낮에 나오려고."

"그럼 뭘 보고 뭔가 있다고 하는 거지?"

무사들이 중구난방으로 떠들 때였다.

"무슨 일이오?"

낭랑한 목소리가 그들의 등 뒤에서 들렸다. 무사들이
움찔 놀라며 뒤를 돌아보았다.

정유였다.

3. 환술(幻術)

"뭐 신기한 거라도 있소? 다들 모여 있게."

맞은편 월동문에서 걸어 나온 정유가 웃으며 물었다.
무사들은 그에게 인사를 한 후 멋쩍게 웃으며 대답했다.

"하하하. 별일 아닙니다."

"아니, 아호가 무슨 기척을 느꼈다고 해서요."

"아무래도 워낙 집중했던 탓에 이목이 송곳처럼 날카
로워진 상태에서 개미가 기어가는 걸 느낀 모양입니다."

"이 주변을 샅샅이 뒤졌는데도 그 기척의 주인을 찾지 못한 걸 보니 역시 개미가 범인인 것 같습니다."

무사들이 웃으며 말하는 동안에도 담호는 수풀에서 전혀 눈길을 떼지 않았다.

"잠깐만요."

담호는 앞으로 걸어 나가며 말했다.

"기척이 움직이고 있어요. 거짓말이 아니라 이쪽으로 이동하고 있어요."

무사들은 다시 웃음을 터뜨리며 중구난방으로 떠들기 시작했다.

"역시 개미인 것 같습니다."

"아니면 거미일 수도 있겠네요. 이쪽에 거미줄이 쳐져 있는 걸 보면 말입니다."

"어쩌면 지렁이일지도 모릅니다. 자꾸 땅속에 뭐가 있다고 하는 걸 보면 말이죠."

정유는 무심한 표정을 지은 채, 웃고 떠드는 무사들을 헤치고 담호에게 가까이 다가갔다. 그는 담호가 주시하는 방향을 확인하고 그곳을 내려다보며 이목을 집중했다.

그의 이목에 걸리는 건 아무것도 없었다. 어쩌면 담호는 지금 무사들 말대로 거미나 개미가 움직이는 걸 기척이라고 착각하는 것인지도 몰랐다.

그러나 정유는 웃지 않았다. 담호가 착각을 하고 있다

고 생각하지도 않았다.

그는 고개를 돌려 담호를 돌아보았다. 담호는 여전히 진지한 눈빛으로, 그러나 당황하고 초조하며 황당한 표정으로 수풀 한쪽을 주시하고 있었다.

"여기더냐?"

정유는 손가락으로 수풀 뒤 한 지점을 가리키며 물었다. 담호는 시선을 떼지 않은 채 고개를 끄덕였다.

"네, 그 부분이에요."

정유는 가타부타 말을 하지 않았다. 정유는 담호의 말을 듣자마자 곧바로 검을 빼 드는 동시에, 전력을 다해 담호가 지켜보고 있는 지면을 내리 찔렀다.

그의 검이 지면을 뚫고 깊숙하게 파고들었다. 일순 정유의 눈빛이 급변했다.

'뭔가 있다!'

지면을 파고 들어간 검 끝에 무언가가 와닿았던 것이다.

"거기 숨어 있었느냐!"

물컹한 것이 손에 닿은 듯한 감촉을 느낀 순간, 정유는 벼락처럼 소리치며 지면에 박혀 있던 검을 크게 휘둘렀다.

지면 위로 핏물이 분수처럼 피어올랐다. 그리고 한 명의 신형이 지면을 뚫고 튀어나왔다. 웃으며 그 광경을 지켜보던 무사들이 깜짝 놀라며 황급히 무기를 꺼내 들었다.

"웬 놈이냐!"

"아호 말이 맞았다!"

"진짜로 누군가 숨어 있었구나!"

사람들은 저마다 고함을 내지르며 그가 도망가지 못하도록 사방을 포위했다.

비록 담호의 말에 크게 귀를 기울이지는 않았지만, 그대로 그간의 훈련이 어느 정도였는지 확인할 수 있는 몸놀림과 포위망이었다.

정유는 흙 묻은 검을 고쳐 쥐고는, 허공 높이 솟구친 자를 향해 일검을 날렸다. 그의 검이 섬전처럼 빠르게 허공을 가르고 그를 찔러 갔다.

하지만 지면에서 튀어나온 자의 무위도 만만치 않았다. 그는 정유의 일검이 제 몸을 꿰뚫으려는 순간, 곧바로 허공에서 몸을 비틀고 회전하며 피했다.

동시에 그는 정유의 검을 걸어차며 그 반탄력을 이용하여 담벼락 저편으로 몸을 날려 도주했다.

"어디를 도망가느냐!"

정유가 고함을 지르며 훌쩍 담을 뛰어넘어 침입자를 추격했다. 무사들도 빠르게 그를 따라서 담을 뛰어넘었다.

반면 담호는 움직이지 않았다. 그는 그 자리에 발이 묶인 것처럼 꼼짝하지 않은 채 담벼락을 노려보다가 갑자기 일격을 내질렀다.

그의 주먹이 맹렬하게 담벼락을 가격했다.

천 근 바위도 박살 낼 것처럼 강렬한 주먹이었는데, 믿어지지 않게도 담벼락에는 아무런 흔적도 남지 않았으며 아무런 소리도 일지 않았다.

하지만 다음 순간 기이한 광경이 일어났다. 담 전체가 출렁이는가 싶더니, "윽!" 하는 신음이 담벼락 안에서 새어 나왔다.

"거기 숨었구나!"

담을 뛰어넘었던 정유의 목소리가 담 저편에서 들려왔다.

쾅!

굉음과 함께 벽이 박살 나며 구멍이 크게 뚫렸다. 한 명의 늙은이가 그 충격을 견디지 못하고 데구루루 굴러 나왔다.

담호가 재빨리 그 앞을 가로막고 버티었다. 뻥 뚫린 담벼락에서 정유가 뛰어들며 노인을 향해 빠르게 검을 휘둘렀다.

노인은 나려타곤의 수법으로 땅을 뒹굴며 검을 피하려 했지만, 담호와 정유의 공격을 연거푸 얻어맞은 까닭인지 미처 반응이 늦었다.

"윽!"

다시 한번 그의 입에서 신음이 흘러나왔다. 반응이 느려 제대로 피하지 못한 그의 발목에서 피가 흘렀다.

정유의 검은 계속해서 그의 발목을 노리고 그어 갔다. 노인의 신형이 갑자기 녹아내려 지면으로 스며들었다. 지켜보던 담호가 깜짝 놀랐다.

그러나 정유는 이미 짐작하고 있었다는 듯이 냉정하게 지면을 찍었다.

"컥!"

좀 더 큰 비명이 지면을 뚫고 솟구쳤다. 막 지면으로 스며들던 노인의 신형이 다시 원래의 모습으로 되돌아왔다. 정유는 한 걸음 앞으로 내디디며 검으로 노인의 목을 찌르며 말했다.

"한 번 더 환술(幻術)을 사용하려 한다면 이 검이 네놈의 목을 관통할 것이다."

노인은 피가 철철 넘쳐흐르는 입을 열며 중얼거렸다.

"태극천맹의 충견 따위가 감히……."

정유는 검을 쥔 손에 살짝 힘을 가했다. 그의 검극이 미세하게 목의 피부를 찔렀다. 한 방울의 피가 검날을 타고 흘렀다.

뒤늦게 무사들이 달려와 노인의 주변을 에워싸고 무기를 겨누는 가운데, 정유는 매서운 눈빛으로 노인을 내려다보며 말했다.

"사마외도의 인물 중에서 그만한 환술을 사용하는 자는 그리 많지 않지. 저 구천십지백사백마 중의 혈혼암귀와

환사(幻邪)와 초혼둔영귀(招魂遁影鬼), 사선행자의 이매망량(魍魅魍魎) 등을 포함하여 열 명도 채 되지 않는다."

그의 말을 들으면서 담호는 가슴을 두근거렸다.

'저렇게 몸이 녹아내려서 지면 속으로 숨는 것도 무공이었어? 환술이라는 게 저렇게 대단한 거야?'

비록 나이가 어리기는 하지만 그래도 담호는 나름대로 무수히 많은 무공을 견식하고 또 배웠다. 하지만 환술은 처음 경험하는 무공이었다.

'와아. 이런 환술을 익힌다면 아창과 술래잡기할 때 최고겠구나.'

담호가 그런 엉뚱한 상상을 하면서 놀라고 두근거리는 가운데 정유는 계속해서 말을 이어 나갔다.

"사선행자들은 노인네가 아니지. 초혼둔영귀도 중년 사내라고 했고, 환사는 여인이었으니까…… 오호라!"

정유는 감탄한 듯 혹은 분노한 듯 혹은 즐거운 듯 그 의미를 알 수 없는 표정을 지으며 크게 소리쳤다.

"바로 네놈이 저 혈혼암귀였구나! 뭐야, 이거. 천하의 혈혼암귀를 이렇게 잡게 되다니!"

혈혼암귀는 단번에 제 신분이 밝혀졌음에도 불구하고 무심한 눈빛으로 정유를 쳐다보다가 문득 생각났다는 듯이 담호를 돌아보며 물었다.

"어찌 알았느냐?"

담호는 움찔 놀라면서 되물었다.

"네? 뭐, 뭐가요?"

"내가 수풀 뒤에 숨어 있었던 걸 어찌 알았느냐는 거다. 또 내가 담벼락에 숨었던 걸 어찌 알았느냐는 질문이다."

"그, 그건……."

담호는 뭐라고 설명해야 할지 모르겠다는 표정을 지으며 말을 고르다가 천천히 입을 열었다.

"처음에는 그저 누가 나를 바라보고 있네? 하는 시선을 느꼈거든요. 그래서 그 시선을 따라 고개를 돌렸는데 아무도 없지 않겠어요?"

"당연하지. 내 은잠술은 천하무적이니까."

"하지만 계속 바라보고 있으니까 뭔가 꿈틀거리는 듯한, 희미하게 움직이는 듯한 기척이 느껴지는 거예요. 그래서 거기 누구 있냐고 소리쳤어요."

담호는 별것 아니라는 투로 계속해서 말을 이어 갔다.

"할아버지가 담벼락에 숨은 걸 찾은 것도 비슷해요. 할아버지께서 담을 넘어 도망치는 순간 갑자기 기척이 멀어지지 않고 그 자리에 멈췄거든요. 그리고 그 기척이 벽을 타고 이동하는 것 같아서 내가중수법이라는 걸 이용하여 벽을 친 거예요."

듣고 있던 혈혼암귀의 입이 쩍 벌어졌다. 그는 경악에 물든 시선으로 담호를 쳐다보았다.

기실 혈혼암귀의 진신 무공은 다른 동료들에 비해 부족한 게 사실이었다. 아무래도 그의 무공은 은잠술과 환술에 특화되어 있었다.

아무도 모르게 적의 등 뒤로 돌아가 은밀하고도 신속하게 암습하는 것, 그게 혈혼암귀의 장점이었다.

그러니 담벼락에 숨었다가 미처 담호의 벽공장을 피하지 못하고 정통으로 얻어맞아 적잖은 내상을 입은 건 혈혼암귀 스스로 그럴 수 있다고 생각했다.

하지만 혈수암영은 달랐다.

지금까지 혈혼암귀가 그 수많은 전장(戰場)을 누비면서도, 또 수많은 이들을 암살하면서도 끝까지 목숨을 부지하고 살아남을 수 있었던 이유가 바로 그 혈수암영의 환술에 있었기 때문이었다.

혈혼암귀가 상대했던 그 누구도 자신의 존재를 알아차리지 못하게 했던 최고의 절기. 그게 무너진 것이다.

멍한 눈빛으로 담호를 쳐다보던 혈혼암귀는 이내 도저히 믿을 수가 없다는 듯 고개를 흔들며 소리쳤다.

"그, 그럴 리가 없다! 어찌 네 능력으로 내 혈수암영의 은잠술을 파훼한단 말이더냐?"

"아니, 이 아이의 능력이라면 충분하지."

정유가 끼어들며 말했다.

"겉으로 느껴지는 내공이나 무위만 믿으면 안 되는 거

야, 혈혼암귀. 이 아이에게는 아직 소화하지 못한 내공이 잠재되어 있고 그 잠재된 내공이 발현되는 순간, 이곳의 그 누구보다도 강해질 테니까."

혈혼암귀는 정유가 자신을 가리켜 혈혼암귀라고 단정 지어 불렀음에도 불구하고 전혀 신경 쓰지 않는 듯 외려 고개를 갸웃거리며 되물었다.

"하지만 어쨌든 아직 잠재되어 있을 뿐이잖은가? 그게 발현되었다면 모르되, 발현하지 않은 현 상태에서 어찌 내 혈수암영을 파훼한 게지?"

"그건 천조감응진력이라는 무공 덕분이야."

묵직한 저음의 목소리가 무사들 뒤에서 들려왔다.

무사들이 깜짝 놀라며 뒤를 돌아보았다. 그 순간의 틈을 노려 혈혼암귀가 다시 몸을 움직이려 했다.

그러나 정유의 검은 빈틈이 없었다. 혈혼암귀가 움직이려는 찰나 그보다 먼저 정유의 검이 그의 목을 찔러 갔다.

"움직이지 말라고 경고했지?"

정유의 말에 꼼짝할 수 없게 된 혈혼암귀가 욕설을 퍼부었다.

"태극천맹의 개 따위가 감히…….."

"한 대 갈겨. 더 이상 험한 말 하지 못하게."

묵직한 목소리가 재차 들렸다. 정유가 웃으며 말했다.

"그렇다고 노인에게 함부로 주먹질을 할 수가 있나요, 강 형님."

"그럼 내가 한 대 갈기지."

연락을 받고 달려온 강만리는 혈혼암귀를 포위한 무사들을 헤집고 다가와 쪼그리고 앉은 다음 묵직한 주먹으로 그의 이마를 툭 쳤다.

'헉!'

혈혼암귀는 이마가 뻥 뚫리는 듯한 충격에 그대로 정신을 잃고 말았다.

"죽이신 건가요?"

담호가 깜짝 놀라 물었다. 강만리가 웃으며 말했다.

"이 숙부가 그리 모진 사람인 것 같느냐? 그냥 가볍게 때린 건데 이 늙은이가 그걸 견디지 못하고 기절했을 뿐이다."

"그래요?"

담호는 안도의 한숨을 내쉬었다.

"정말 힘 하나는 무식할 정도로 세다니까요."

정유가 혈혼암귀의 혈을 제압하며 말하자 강만리가 눈을 찌푸리며 대꾸했다.

"무식하게 센 게 아니라 엄청나게 센 거야. 입은 삐뚤어졌어도 말은 똑바로 해야지."

강만리는 이어 담호를 돌아보며 웃었다.

"흠, 그럼 이제 이게 무슨 일인지 자초지종을 들어 보자꾸나. 정 숙부가 저 늙은이의 신병을 확보할 동안 우리는 위정전으로 갈까?"

"네, 숙부."

담호는 공손하게 대답했다.

4장.
재능 차이

그렇게 일 년이 흘렀고,
설벽린은 서안의 그 어떤 이보다도 강력한 영향력을 지닌 인물이 되었다.
화군악과 강만리가 그를 찾아와서 모든 걸 망쳐 놓기 전까지는.

1. 상벌(賞罰)

"호오. 잘했다. 아주 잘했어."

담호의 이야기를 들은 강만리는 감탄하며 거듭 칭찬했다. 담호는 부끄러워 어쩔 줄을 몰라 했다.

강만리는 계속해서 칭찬을 이어 갔다.

"그 미미한 기척을 착각이라고 생각하지 않고 계속 신경을 집중하여 침입자를 찾아낸 건 정말 잘한 일이다."

"그게 그러니까, 모두 강 숙부 덕분입니다. 강 숙부께서 천조감응진력을 비롯해 몇 가지 무공을 가르쳐 주신 덕분에 그 할아버지를 발견할 수 있었으니까요."

"허험. 그건 그렇지."

강만리는 어깨를 으쓱거리며 말했다.

"물론 천조감응진력을 익히지 않았더라면 혈혼암귀를 찾지 못했을 거야. 하지만 중요한 건 그게 아니란다. 방금 전에도 말했지만, 순간적으로 느낀 네 의심을 착각이라고 생각하지 않은 것과 겨우 이삼 성에 불과한 천조감응진력을 최대한 집중하여 그를 찾아낸 그 집중력과 끈기야말로 중요한 거고 또 대단한 거란다."

자리에 참석하여 함께 이야기를 듣던 양위의 얼굴이 저도 모르게 붉어졌다.

그 역시 장터에서 혈혼암귀의 존재를 인지했다. 그러나 그는 착각인가 보다, 하면서 신경을 껐다.

그게 담호와 그의 근본적인 차이였다. 그리고 그 차이가 적의 잠입을 허용하는 커다란 불상사로 이어지게 되었다.

"죄송합니다."

양위는 죄책감을 견디지 못하고 자리에서 일어나 허리를 숙이며 잘못을 고했다.

"속하 역시 장터에서 순간적이나마 그자의 기척을 눈치챈 적이 있었습니다. 하지만 별일 아니라는 생각에 더 찾아볼 생각을 하지 않았습니다. 그런 안일한 방심이 하마터면 큰 화를 자초할 뻔했습니다. 속하는 그 잘못을 통감하여 순찰당주라는 직책을 내려놓겠습니다."

"안 돼요!"

그의 말에 담호가 깜짝 놀라며 소리쳤다.

위정전 대청에 모인 사람들의 시선이 일제히 그에게로 쏠렸다. 담호는 당황해하며 사과했다.

"죄송합니다. 함부로 말을 해서."

"아니다. 계속 말해 보렴."

강만리가 미소를 지으며 말했다. 담호는 아무래도 사람들의 시선이 부담스러운 듯 어색함을 감추지 못한 채 힘겹게 입을 열었다.

"그러니까…… 누구도 다치지 않았잖아요? 큰 화도 일어나지 않았고요. 그러니까 양 숙부께서 당주 직을 그만둘 정도의 책임감은 느끼지 않으셔도 되지 않을까 생각했거든요."

"허허허. 좋은 말이다. 옳은 말이기도 하고."

만해거사가 껄껄 웃으며 고개를 끄덕였다.

"나이도 제법 먹은 사람이 어째 이 꼬마보다 소견머리가 없누?"

양위의 얼굴이 달아올랐다. 만해거사는 계속해서 말을 이어 나갔다.

"지금 상황에서 자네가 그만두면 누가 그 자리에 갈 수 있겠나? 그런 책임감이 있다면 더욱 노력해서 두 번 다시 이런 일이 발생하지 않도록 하는 게 더 현명하고 또 사내다운 일이 아닌가? 책임이라는 건 그렇게 져야 한다고 생각하는데, 자네 생각은 어떤가?"

양위는 입술을 깨문 채 서 있다가 입을 열었다.

"죄송합니다. 속하가 생각이 짧았습니다."

"좋아. 실수를 인정하는 것도 큰 용기가 필요한 법. 대저 높은 자리에 있는 사람들이 실패하는 건 그런 용기가 부족해서 제 실수를 인정하지 않은 채 자꾸 변명을 하고 왜곡을 하기 때문일세. 그러니 자네는 실패하지 않고 계속 승승장구할 것이야. 축하하네."

사죄의 자리에서 엉뚱하게 축하까지 받게 되었다. 양위는 마땅치 않다는 표정을 지으며 말했다.

"하지만 침입자를 놓친 죄에 대한 책임은 반드시 물어야 한다고 생각합니다. 부디 청컨대 강 장주께서는 그에 합당한 벌을 내려 주시기 바랍니다."

"허어, 이 꽉 막힌 친구 하고는."

만해거사가 쯧쯧 혀를 차며 말했다.

"내가 그리 변호해 주었거늘 사서 벌을 받으려고 하다니."

"하하. 원래 양 당주의 매력이 거기에 있는 거 아니겠습니까? 매사 철두철미하고 공평정대해서 어느 쪽으로도 기울지 않는다는 점 말입니다."

강만리는 웃으며 말하다가 문득 진중한 표정을 지으며 말했다.

"순찰당주 양위는 혈혼암귀의 잠입을 막지 못한 죄로 감봉 이 개월, 그리고 무너진 담벼락의 보수 공사를 홀로 책임지기로 한다. 이상으로 상벌을 마치니 두 번 다시 이 일에 대해 거론하는 사람이 없도록."

양위가 허리를 숙이며 대답했다.

"살펴 주셔서 감사합니다."

그때 아란이 고개를 갸웃거리며 입을 열었다.

"이상하네요. 상벌을 마친다고 했는데 왜 아호는 상을 받지 못하죠? 침입자를 발견한 공로가 있을 텐데 말이에요."

"아, 그렇군!"

강만리는 제 이마를 쳤다.

"미안, 미안. 미처 그 생각을 하지 못했다. 그래, 아호야. 너는 무슨 상을 받고 싶니?"

강만리는 웃으며 물었다. 담호는 잠시 생각하다가 입을 열었다.

"양 숙부의 벌을 사해 주는 상을 받고 싶어요."

"아니, 그건 안 된다."

강만리는 무뚝뚝한 표정으로 말했다. 담호가 살짝 난처한 표정을 지으며 물었다.

"왜요?"

"그건 외려 양 당주를 욕보이는 일이기 때문이란다."

강만리는 조금은 더 부드럽게 표정을 바꾸며 말을 이었다.

"양 당주는 지금 당당하게 자신의 죄를 고하고 그에 합당한 벌을 받았다. 즉, 사내답게, 그리고 순찰당주라는 책임자답게 행동한 거지. 그런데 네가 그 벌을 사해 달라고 하면 어찌 되겠느냐? 개인의 사사로운 정(情)이 들어가는 순간, 이 상벌의 의미는 사라지고 공정성을 잃게 된단다."

담호의 입장에서는 조금은 이해하기 어려운 단어들이 있었지만 그래도 무슨 뜻인지 충분히 알아들을 수가 있었다. 그는 고개를 숙이며 사과했다.

"죄송합니다. 제가 아무것도 모르고 막 말한 것 같아요."

"그래. 알았으니 다행이구나. 예로부터 그런 말이 있지 않더냐? 공사(公私)를 혼동하지 말라는 말 말이다. 비록 우리끼리인 상벌의 자리이기는 하지만 어디까지나 지금은 공적인 자리, 그러니 그에 합당한 공정성은 있어야 하지 않겠느냐?"

이야기를 다 들은 담호는 정중하게 손을 모으며 허리를 숙였다. 그 역시 공적인 자리에 합당한 자세를 취하려는 게였다. 담호는 조심스레 말했다.

"잘 알겠습니다, 강 장주."

"강 장주? 푸하하하!"

강만리는 아주 크게 웃었다. 정말 오래간만에 터진 대소(大笑)였다. 만해거사도 아란도 정유도, 헌원중광도, 심지어 양위마저도 웃음을 참지 못했다.

담호만이 어쩔 줄 몰라 했다. 강만리의 이야기를 듣고서 나름대로 격식을 갖추고자 강 장주라 말한 건데 이렇게 어른들이 하나같이 웃음보를 터뜨릴 줄은 몰랐던 게다.

"아니, 됐다."

강만리는 담호의 머리를 쓰다듬으며 말했다.

"너는 아직 강 숙부라 불러도 괜찮다."

"네, 강 숙부."

"그래. 그럼 네게는 양 당주의 감봉액과 더불어 한 가지 소원을 들어주마. 아, 내가 소원을 들어주는 건 그리 재미가 없으니 이곳에 있는 모든 사람 중 한 사람을 골라 지목해 보렴. 그러면 그 사람이 네 소원을 들어줄 것이야."

"네?"

"형님도 참."

"어머나."

"허허, 그거 재미있는 제안이군그래. 그럼 아호가 과연 누구를 선택하려나?"

강만리의 이야기에 사람마다 다른 반응이 흘러나왔다.

난처한 건 담호였다. 그는 당황한 눈빛으로 강만리를 쳐다보다가 사람들을 둘러보았다.

소년과 눈이 마주친 사람들은 웃거나 한쪽 눈을 찡긋거리거나 수염을 매만지거나 혹은 고개를 돌려 외면하는, 그야말로 각양각색의 반응을 보였다.

　담호는 잠시 생각하다가 헌원중광을 쳐다보며 말했다.

　"헌원 할아버지께 부탁을 드릴래요."

　"응?"

　"어머나."

　"어라?"

　"허어, 이 늙은 내가 그렇게 침을 놓아 가며 네 녀석의 잠재력을 한껏 끌어올려 주고 있거늘, 어찌 이 할아비를 선택하지 않는 게뇨?"

　이번에도 사람마다 반응이 다 달랐다.

　특히 만해거사는 뭔가 착각을 하거나 잘못된 생각을 하고 있는지, 아니면 '선택'이라는 것 자체를 오해하고 있는지 한숨까지 쉬어 가며 낙담한 표정을 지었다.

　정작 고개를 돌린 채 외면하고 있던 헌원중광은 의외라는 시늉을 하며 자신을 가리켰다.

　"나?"

　담호가 고개를 끄덕였다.

　"네. 헌원 할아버지 맞아요."

　"허어, 왜?"

　"그야 절 바라보지 않으셨으니까요."

담호는 살짝 미소를 지으며 말했다.

"다른 분들은 이 기회가 아니더라도 제가 부탁하면 언제든지 들어주실 것 같았거든요. 그런 얼굴로 저를 바라봐 주셨어요."

그의 말이 끝나기도 전에 사람들이 웅성거리기 시작했다.

"어머나, 깜찍한 꼬마였네."

아란이 감탄했다.

"그렇기는 하지. 원하지 않아도 다들 그냥 막 퍼 주는 실정이니까 말이지."

정유가 웃으며 말했다.

"흠, 눈치도 빠르고 머리도 잘 돌아가는군. 나중에 내게 큰 도움이 되겠어."

강만리는 고개를 끄덕이며 중얼거렸다.

"허허. 그래. 언제든지 원하렴. 다 들어줄 테니."

만해거사는 마치 친손자를 바라보듯 자애로운 눈빛으로 담호를 보며 말했다.

오직 헌원중광만이 인상을 찌푸리며 투덜거렸다.

"쳇, 귀찮은데."

담호도 웃으며 말했다.

"귀찮으시겠지만 그래도 나중에 제 소원 하나 들어주세요. 그리 대단한 소원은 아닐 테니까요."

"뭐, 어쩔 수 없지. 공(公)은 공이고, 사(私)는 사라고 했으니 내 마음대로 싫다고 할 수 없겠네. 좋아, 뭐든지 말해라. 내가 해 줄 수 있는 거라면 다 해 줄 터이니."

"감사합니다, 헌원 할아버지."

강만리가 손뼉을 치며 말했다.

"그럼 이것으로 상벌 자리는 끝내고, 그 혈혼암귀인가 뭔가 하는 자에 대해 논의할 시간이 되었군. 이제 아호, 너는 돌아가도 된다."

혈혼암귀에 대해 논의하는 와중에 어떤 말이 오갈지 몰랐다. 하지만 아무래도 아직 어린 담호가 감당할 수 없는 이야기가 나올 게 분명한 만큼 미리 담호를 내보내려 한 것이다.

"감사합니다."

담호는 강만리와 다른 사람들을 향해 고개를 숙인 후 대청을 빠져나갔다.

그 뒷모습을 지켜보던 강만리는 저도 모르게 중얼거렸다.

"우리 아정도 저렇게 반듯하게 자라야 하는데 말이지."

2. 애정 놀이

"혈혼암귀는 지금 외당 창고에 가둬 두었습니다. 마혈을 제압해 둔 데다가 강 형님의 일격을 맞고 혼절한 까닭에 도망칠 엄두는 내지 못할 겁니다."

"일격이 아니라니까. 꿀밤 한 대, 아니 딱밤 한 대 먹였
을 뿐이다."

강만리는 정유를 한 차례 노려보고는 만해거사를 바라
보며 물었다.

"혈혼암귀에 대해서 잘 아십니까?"

"잘 알지."

만해거사는 팔짱을 끼며 대답했다.

"아주 고약하고 지독한 친구라네. 그 친구의 암습에 당
한 우리 동료들이 한둘이 아니었거든."

만해거사의 말에 정유가 덧붙여 말했다.

"정확하게 스물다섯 명의 백도 고수들이 그에게 참변
을 당했습니다. 다른 암습자들과는 달리 그는 단 한 번의
실수도 없었고, 단 한 번도 꼬리를 밟히지 않았습니다.
현재 태극감찰밀에서 쫓고 있는 마두들 중에서 상당히
높은 순위에 있는 자입니다."

태극감찰밀은 이백 명까지 순위를 정해서 우선순위에
해당하는 마두들부터 적극적으로 쫓고 있었다. 물론 공
적십이마 들이 최우선순위지만, 그 밑으로 몇 단계 내려
가지 않은 순위에 혈혼암귀가 있었다.

"그럼 자네가 혈혼암귀를 천맹으로 압송하면 상당한
공훈을 세우는 셈이 되겠네."

"하하, 그렇죠. 아무래도 휴가 중에 혈혼암귀를 잡아 왔으니까 말입니다."

"그럼 그렇게 하자."

강만리가 진지한 표정을 지으며 말했다.

"우선 우리가 그에게 알아내야 할 것들을 알아낸 다음 자네는 그를 압송해서 천맹으로 가."

정유는 당황하여 사양했다.

"아니, 굳이 그럴 필요까지는 없습니다. 제가 공로에 눈이 먼 것도 아니고……."

"아니, 그래야 해. 이왕이면 자네가 태극천맹의 좀 더 높은 자리까지 오르는 게 자네에게도 좋고 내게도 좋고 우리에게도 좋으니까."

"에? 그럼 형님 좋으라고 그런 일을 시키시는 겁니까?"

"뭔 소리야? 분명 자네에게도 좋다고 하지 않았어?"

"아니, 저는 그리 좋지 않다니까요."

"됐어. 선물이라고 생각해. 담호와 내가 주는 선물."

"그런 억지가 어디 있습니까, 세상에."

"아니, 그건 그렇고. 그래, 내가 좋으면 안 돼? 나 좋은 일 해 주는 게 그렇게 배 아프고 속상한 거야?"

"그건 또 무슨 이상한 말씀이십니까?"

"그렇잖아? 나 좋은 일 시킨다면서 지금 눈을 부릅뜨고 날 노려보았잖아?"

"제가 언제 눈을 부릅떴다고 그러십니까?"

"그럼 나 좋은 일 해 줄 수 있어?"

마치 잔뜩 화가 난 것처럼 마구 언성을 높이던 강만리는 갑자기 눈웃음을 치며 사근사근하게 물었다. 정유는 어처구니가 없어서 저도 모르게 한숨을 내쉬었다.

"이것 참. 너무 합니다, 형님."

"미안, 미안. 조금 전 아호에게 배웠어. 이렇게 웃으며 말할 때 상대방이 쉽게 거절하지 못하더라고."

"아호는 귀엽잖습니까? 형님은 더럽고요."

"더럽다니? 내가 얼마나 자주 씻는데."

두 사람의 언쟁이 끝나지 않을 거라고 생각했는지 만해거사가 헛기침을 하며 끼어들었다.

"허험. 애정 놀이는 그쯤에서 멈추기로 하고."

순간 강만리와 정유가 동시에 만해거사를 돌아보며 소리를 질렀다.

"애정이라니요?"

"무슨 그런 무시무시한 말씀을 하십니까?"

그들의 격렬한 항의에 만해거사가 움찔거렸다.

그때였다.

"그럼 난 이만."

헌원중광이 자리에서 일어나며 말했다.

"내가 없어도 될 것 같으니 나는 이만 나가 보겠네. 두 사람의 쓸데없는 다툼을 보는 것도 지겨우니까."

강만리가 머쓱한 표정을 지으며 말렸다.

"아니, 그래도 조금 더 있다가 가시는 게……."

"됐네. 난 바쁜 사람이네."

헌원중광은 무뚝뚝하게 말한 다음 거침없이 자리를 떠나 밖으로 나갔다.

분위기가 순식간에 가라앉았다.

만해거사 헌원중광의 뒷모습을 바라보다가 고개를 갸우뚱거리며 말했다.

"아호에게도 그러더니 왜 저리 뚱한 게지?"

"안 그래도 화가 많이 난 상태이거든요."

강만리가 어색하게 웃으면서 대답했다.

"심혈을 기울여서 만든 함정과 암기, 기관 장치에다가 망루의 쇠뇌들까지 모두 뜯어내야 하잖습니까? 그것도 재사용하는 데 전혀 문제가 없게끔 말이죠. 당연히 화가 나고 뚱해 있을 수밖에요."

"흠, 그렇겠군."

만해거사가 고개를 끄덕이는 모습을 보면서 강만리는 다시 손뼉을 치며 화제를 돌렸다.

"뭐 상황이 이렇게 되었으니, 이 정도에서 결론을 내리죠. 혈혼암귀의 생사는 태극천맹에서 정하는 것으로 말입니다. 우리는 그저 놈이 왜 양 당주의 마차에 잠입하여 이곳까지 왔는지만 알아내면 됩니다."

"그야 간단하잖습니까?"

정유는 엉겁결에 정해진 자신의 임무에 대해 한숨을 쉬면서도 그렇게 말했다.

"뭐가?"

"혈혼암귀는 분명 위천옥이라는 자의 수하일 겁니다."

"단지 양 당주의 마차에 잠입한 걸로?"

강만리는 그 정도 추론은 이미 하고 있었다는 투로 물었다. 정유는

"그게 아니면 왜 양 당주의 마차에 올라탔겠습니까?"

정유는 당연하다는 듯이 말했다.

"모르기는 몰라도 혈혼암귀는 백노가 뒤쫓은 사람들에 대해서 대충 알고 있었을 겁니다. 당시 마차를 몰았던 양위 당주를 기억할 수도 있겠고, 아니면 마차에 타 있던 사람들이 모두 여자라는 사실을 알았을 수도 있겠죠. 그래서 양 당주의 마차에 잠입했던 겁니다."

정유는 살짝 말을 끊었다가 다시 이어 나갔다.

"그리고 이곳까지 오는 동안 마차 내부의 상황을 면밀하게 관찰하고 파악했을 겁니다. 그래서 무공이 없는 담 형님의 둘째 형수의 뒤를 밟았던 거죠. 그의 입장에서 가장 상대하기 편했을 테니까요."

"하마터면 소화 언니가 큰일을 당할 뻔했네요."

"그랬을 것이오. 만약 아호가 그를 발견하지 못했더라면 말이오."

"다시 한번 생각해 봐도 아호가 정말 대단한 일을 해냈어요. 그 무림 명숙들과 정파의 고수들이 단 한 번도 눈치채지 못했다는 그의 은잠술을 단번에 파훼했으니까요."

"나도 깜짝 놀랐소. 언제 아호가 천조감응진력을 익혔는지 말이오."

정유는 그렇게 말하며 강만리를 돌아보았다. 강만리는 어깨를 으쓱거리며 말했다.

"어디 천조감응진력뿐이겠나? 기면속명구일결(嗜眠續命九日訣)과 심등귀진박(心燈鬼陣搏)까지 권각술이나 병기술은 아니지만 무림에서 살아남는 데 아주 좋은 무공들을 가르쳐 주었지."

"그런데 왜 제가 모르고 있었죠?"

"나도 모르고 있었네."

만해거사가 한마디 더했다. 강만리는 머쓱한 표정을 지으며 말했다.

"속이려고 했던 건 아닙니다. 단지 누구에게도 알리지 말고 혼자 익히라고 했을 뿐입니다."

"왜? 다른 사람들이 알면 탐을 낼까 봐?"

"설마요. 단지 그런 무공은 사람들이 모르면 모를수록 더 빛을 발한다고 생각했거든요. 뭐, 적을 속이려면 아군부터 속이라는 말도 있지 않습니까?"

"흠. 그럴 수도 있겠지."

"사실 저도 상당히 놀랐습니다."

강만리는 엉덩이를 긁적거리며 말했다.

"그 무공들을 전수한 게 불과 몇 달 되지 않았거든요. 네다섯 달 정도 되었나? 어쨌든 익힌 지 반년도 안 되었는데 벌써 이삼 성의 수련을 쌓았더라고요. 아까는 행여 자만할까 봐 겨우 이삼 성 운운했지만, 저도 일 년이 넘게 수련해서 겨우 그 정도 실력이 되었으니까요."

"형님과 아호의 재능 차이입니다."

"그만하자, 우리."

강만리는 다시 한번 정유를 째려본 다음 다시 만해거사를 돌아보며 말을 이어 나갔다.

"게다가 겨우 이삼 성의 수준밖에 되지 않는 천조감응진력으로 저 혈혼암귀의 환술을 파훼한 건 더더욱 놀라운 일입니다. 이야기를 들어 보니 무림의 절정고수들도 그의 환술을 파훼하지는 못했다고 하는데, 이삼 성의 천조감응진력이 그들의 이목보다 더 뛰어나다고는 생각할 수가 없거든요."

"그렇다면 천조감응진력보다 아호의 집중력과 육감 같은 게 더 효과를 본 거다, 이 말씀이신가?"

"그렇습니다. 정말 장래가 기대되는 아이예요."

"허허. 나도 그리 생각하네. 정말 제자로 삼고 싶은 마음이 굴뚝같으이."

"그럼 제자로 삼으시면 되잖아요?"

"흠, 아쉽게도 내게는 설벽린이라는 못난 제자가 있어서 말일세."

"제자가 둘이면 안 되는 일이라도 있습니까?"

"내가 그리 정했거든."

만해거사는 딱 부러지게 말했다.

강만리는 한 번 더 이야기하려다가 그의 단호한 표정을 보고는 마음을 바꿔 정유에게 말을 건넸다.

"그럼 혈혼암귀를 따로 고문하거나 그럴 필요는 없겠군그래."

정유는 살짝 망설이는 듯한 표정을 지으며 대답했다.

"확실한 걸 원하시면 고문하는 게 나을 겁니다."

"아니, 됐어. 사실 나도 그가 위천옥의 수하일 가능성이 크다고 생각하고 있었거든."

강만리는 고개를 외로 꼬며 말을 이었다.

"하지만 위천옥이 성도부를 떠난 지 제법 시일이 흘렀고, 그가 굳이 혈혼암귀를 이곳에 홀로 놔둘 이유도 없다고 생각했거든."

"왜요?"

아란이 묻자, 강만리는 당연하다는 듯이 대꾸했다.

"그야 허 노야가 백노의 시신을 챙겨 갔으니까. 허 노야와 위천옥 사이에 모종의 거래가 있지 않고서야 굳이 허 노야가 백노의 시신을 챙겨 갈 이유가 없으니까."

"아, 그러네요."

"그렇지. 그래서 허 노야가 백노의 시신을 챙겨 갔음에도 불구하고, 위천옥이 따로 혈혼암귀를 이곳에 두고 백노의 뒤를 쫓으라고 지시할 리는 없다는 게 내 생각이었어."

"음, 그럼 정유 오라버니의 생각이 틀린 건가요?"

"아니, 맞을 거야."

강만리의 대답에 아란은 어리둥절한 표정을 지었다.

"조금 전만 하더라도……."

"어쩌면 혈혼암귀 독단적으로 벌인 일일 수도 있겠지. 또 위천옥이 허 노야를 믿지 못해서 몰래 지시를 내릴 수도 있겠고. 직접 그들의 거래를 확인하지 못한 이상, 내 예상을 벗어나는 상황들이 제법 많거든. 그러니 지금 상황에서는 정유의 추론이 가장 타당하다고 생각해."

강만리는 심드렁하게 말했고 아란은 입을 다물었다.

'그 짧은 시간에 이리 많은 생각들을 하다니, 이 멧돼지 같은 자의 머릿속은 어떻게 생겨 먹었을까.'

아란의 뇌리에 떠오른 생각이었다.

3. 설 대부(大夫)

"너무 무리하지 마."

소홍이 담호의 옷에 묻은 흙먼지를 털어 주며 다정하고 부드럽게 말했다.

"뒤늦게 네가 싸웠다는 소식을 듣고 기절하는 줄 알았다고, 나는. 듣자 하니 아주 무시무시한 괴물이었다면서?"

당시 소홍은 담창을 비롯한 아이들을 돌보느라 유운각에 있었고, 경비 무사를 통해 뒤늦게야 그 사실을 알고 부리나케 위정전으로 달려왔다.

마침 담호는 강만리로부터 축객령을 받아 위정전을 나오다가 그녀와 마주쳤다. 두 사람은 다정하게 붙은 채 유운각으로 발길을 옮겼다.

"참, 누나. 혹시 환술이라고 알아요?"

담호가 눈을 반짝이며 묻자, 소홍은 고개를 끄덕이며 대답했다.

"응, 알지. 직접 본 적은 없지만."

"와아, 정말 대단하더라고요. 사람이 갑자기 흐물흐물해지더니 그대로 지면에 스며들더라고요. 만약 이 두 눈으로 보지 않았더라면, 누나가 그런 무공이 있다고 말했어도 도저히 믿지 못했을 거예요."

"그렇게 대단했어?"

"네. 나중에 꼭 배워 보고 싶어요. 아창이 놀라 뒤로 자빠질 거예요."

"어머나."

소홍은 그 환술을 배워서 동생 담창을 놀라게 해 주겠다는 담호의 이야기에 저도 모르게 미소를 머금었다.

덩치는 소홍보다 크고 근육도 튼실하며 아랫도리 물건도 큼지막한 것이 이제 완연히 어른이다 싶었는데 아직 담호는 어린아이였다.

어른의 몸을 한 어린아이.

소홍은 그 모순된 괴리감이 주는 묘한 느낌이 더 마음에 들었다. 담호가 더 귀엽고 사랑스럽게만 느껴졌다.

그녀는 저도 모르게 담호의 곁에 찰싹 달라붙은 채 둔부를 살랑거리며 걸었다.

한참 혼자 신나서 떠들던 담호는 문득 소홍의 탱탱하고 풍만한 젖무덤이 제 팔에 닿은 걸 느끼고는 그만 얼굴이 시뻘겋게 달아올랐다. 그 탱탱하면서도 푹신한 감촉에 절로 아랫도리가 불끈거리고 딱딱해졌다.

담호는 행여 그 부끄러운 사실이 들킬까 봐, 갑자기 혼자 앞으로 뛰어나갔다.

"왜?"

영문을 모른 소홍이 소리쳤다. 담호도 활짝 웃으며 소

리쳤다.

"얼른 가서 아창에게 이야기해 주게요!"

'칫.'

동생밖에 모른다니까.

소홍은 입술을 삐죽이다가 황급히 그 뒤를 쫓아 달리기 시작했다.

"같이 가!"

외치는 그녀의 목소리가 싱그럽게 울려 퍼졌다.

* * *

"쳇! 귀가 간지러운 걸 보니 누가 또 내 이야기를 하는구먼."

설벽린은 투덜거리며 자리에 앉았다.

"뭐 만해 사부나 유 사부일 가능성이 크지. 아, 강 형님도 만만치 않고."

그는 간지러운 귀를 후비면서 주위를 둘러보았다.

정오의 다관에는 사람들이 즐비했다. 차를 마시는 사람, 대화를 나누는 사람, 누군가를 기다리는 사람 등등, 외려 주루나 객잔보다 훨씬 많은 이들로 붐볐다.

멀리 공동산(崆峒山)이 보이는, 평량현(平涼縣)에서 제일 큰 다관인 평량다관(平涼茶館)이어서일까. 손님 중에는 공동파(崆峒派) 특유의 짙은 감청색 도복(道服)과 도관(道冠)을 정제한 도사들이 제법 눈에 띄었다.

도사들은 심각한 표정을 지은 채 낮은 목소리로 진중하게 대화를 나누고 있었는데, 하나같이 예사롭지 않은 투기를 흘리는 것이 막 전쟁을 앞둔 병사의 그것 같았다.

'호오, 공동파에 무슨 난리라도 난 걸까?'

설벽린은 아무렇게나 생각하며 다시 창밖으로 시선을 돌렸다.

화평장을 떠난 이후, 설벽린은 곧장 북상하면서 각 지역의 장물아비들을 만나 거래를 시도했다.

물론 거래가 잘되어 제법 비싼 값으로 보물을 팔기도 했고, 너무 낮은 가격을 부르는 바람에 거래가 성립하지 않은 경우도 있었다.

설벽린은 한 명의 장물아비에게 모든 보물을 팔아 치우려는, 그런 어리석은 행동은 하지 않았다.

한 명에게 전매(全賣)하는 건 반드시 입소문이 나기 마련이었다. 설벽린에게 있어서 보물을 모두 파는 것도 중요하지만, 행여 입소문이 나서 십삼매나 허 노야의 귀에 들어가지 않도록 주의하는 게 더 중요한 일이었다.

"아이고, 많이 기다리셨습니까?"

중년의 배불뚝이 사내가 다가와 자리에 앉았다. 친근한 표정의 중년 사내는 손을 비비며 너스레를 떨었다.

"야, 이게 몇 년 만입니까? 이삼 년 전이었나요? 서안에서 한탕 크게 하시고 어디론가 사라지셨다는 소문을 들었는데 이렇게 얼굴을 뵙게 되네요."

설벽린도 활짝 웃으며 말했다.

"왕 대인의 신수는 더욱 좋아지셨습니다."

"신수는요. 살만 뒤룩뒤룩 찌는 중입니다. 요즘에는 배가 너무 나와서 그것도 보이지가 않더라고요."

'아니, 보이지 않게 된 건 꽤 오래전이겠지.'

설벽린은 힐끗 왕 대인의 아랫배를 훑어보고는 미소를 잃지 않은 채 입을 열었다.

"왕 대인을 이렇게 뵙자 요청한 건 제법 좋은 물건이 나와서, 그 물건의 진가를 알아볼 수 있는 사람을 찾다 보니 왕 대인이 떠오르지 뭡니까?"

"헤헤. 뭐 이 근처에서는 제가 물건을 잘 보기로 소문나 있기는 합니다만…… 그래도 어디 설 대부(大夫)만 하겠습니까?"

왕 대인은 연신 손을 비비적거리며 말했다.

설 대부는 설벽린이 서안에서 활동할 때의 별명이었다.

당시 그는 막대한 자금력을 바탕으로 해서 가격이 싼 물건을 비싸게 사 주었고, 또 구매자가 원하는 물건은 어떻게서든지 구해다 주었다.

덕분에 많은 이들이 살아갈 힘을 얻었으며, 또 목숨을 구할 수도 있었다. 그렇게 설 대부의 도움을 받은 자들은 그를 신(神)처럼 믿고 따르는 신도(信徒)가 되었다.

신도는 계속해서 늘었다. 비밀리에 팔아서 돈으로 바꿔야 할 물건들은 많았다. 또 병자의 목숨을 구하기 위해 귀한 약을 찾는 이들도 많았으며, 애인의 환심을 사기 위해 보석을 구하려는 이들도 넘쳐 났다.

돈이 있고 없고를 떠나, 신분의 높고 낮음을 떠나서 많은 이들이 그를 찾았다. 심지어 서안의 호족들과 토호들 역시 그를 만나서 물건을 사거나 구매했다.

그렇게 일 년이 흘렀고, 설벽린은 서안의 그 어떤 이보다도 강력한 영향력을 지닌 인물이 되었다. 화군악과 강만리가 그를 찾아와서 모든 걸 망쳐 놓기 전까지는.

왕 대인은 그때 몇 번 거래했던 장물아비였다. 당시 왕 대인은 가짜 물건을 가지고 와서 진품으로 속여 팔려다가 크게 낭패를 봐야 했다. 이후, 그는 설벽린이라면 꼼짝하지 못하며 매번 진품으로만 거래했다.

그때의 기억이 아직 남았는지, 아니면 그저 습관에 불과한 건지 왕 대인은 계속해서 손을 비비며 굽실굽실했다.

"어쨌든 이 물건의 임자를 찾는 중입니다."

설벽린은 그렇게 말하며 옆자리에 놓여 있던 보자기를

꺼내 탁자 위에 올려 두었다. 보자기를 본 왕 대인의 눈가에 흥미의 빛이 일렁거렸다.

설벽린은 조심스레 보자기를 풀었다. 보자기 안에서 달걀만 한 크기의 구슬 두 개가 나왔다.

설벽린은 다른 탁자의 사람들이 보지 못하게 보자기를 높이 들어 구슬들을 가렸다. 그 구슬들을 보자마자 왕 대인의 입이 쩍 벌어졌다.

"서, 설마 이건……."

"쉿."

설벽린이 손가락으로 입을 막으며 주의를 주었다.

왕 대인이 얼른 두 손으로 입을 가렸다. 그로 인해 왕 대인은 이곳 다관 삼 층에 들어선 후 처음으로 손을 비비지 않게 되었다.

"행여 다른 사람들이 눈치채기라도 하면 안 됩니다."

설벽린은 한 손으로 보자기 귀퉁이를 잡은 채 소리 낮춰 말했다.

"이 귀여운 것들이 뭔지 알아보시겠습니까?"

꿀꺽.

왕 대인의 침 넘어가는 소리가 설벽린의 귀에까지 들렸다. 그는 탐욕 가득 찬 눈빛으로, 하지만 흠집 하나 놓치지 않는 매서움이 담긴 눈빛으로 두 개의 구슬들을 세밀하게 살폈다. 그의 얼굴이 탁자에 닿을 듯이 가까워졌다.

잠시 후 그는 허리를 펴며 고개를 설레설레 흔들었다. 그러고는 나지막한 목소리로 은밀하게 제안했다.

"여기는 사람들의 눈이 많아서 아무래도 제대로 된 감정을 할 수 없을 것 같습니다. 아래층에 가면 밀실이 있는데 게서 조금 더 자세히 봤으면 합니다."

"그러죠. 물건이 물건이니만큼 더 세세하고 세밀하게 살펴보셔야죠."

설벽린은 다시 천천히 보자기를 싸면서 문득 지나가는 말로 물었다.

"그런데 이곳 도사들의 표정이 너무 살벌합니다. 뭐, 공동파에 무슨 일이라도 생겼답니까?"

"아, 아직 모르고 계셨습니까?"

설벽린이 보자기를 사는 모습을 욕망 가득 담긴 눈빛으로 바라보던 왕 대인이 입가의 침을 닦으며 되물었다. 설벽린도 보자기를 챙기며 되물었다.

"진짜 무슨 일이라도 벌어진 겁니까?"

"그게 말입니다. 그러니까……."

왕 대인은 이야기를 하려다가 힐끗 맞은편의 도사들의 눈치를 보더니 다시 낮은 목소리로 말했다.

"그것도 밀실로 가서 이야기하죠."

"그럽시다."

"그럼 제가 안내하겠습니다."

왕 대인이 자리에서 일어났다. 설벽린도 뒤따라 일어나 왕 대인의 안내를 받으며 아래층으로 내려갔다.

맞은편 자리에 앉아서 은밀한 대화를 나누던 도사들이 문득 고개를 들어 막 아래층으로 내려가는 설벽린의 뒷모습을 조용히 응시했다.

5장.
평량다관(平涼茶館)

그러니 이런 오해 나 착각 정도는 늘 웃으며 넘겼는데,
역시 그것도 때와 장소, 사람에 따라서 달라지는 법이다.
이 누룩 돼지와 같은 왕 대인과 잠자리를 갖는다고 생각하니
절로 오한이 나고 온몸에 소름이 끼쳤다.

1. 삼류(三流)

다관 이 층도 사람이 붐비기는 매한가지였다.

왕 대인이 손가락을 튕기자, 초로(初老)의 다박사(多博士)가 허겁지겁 달려와 허리를 굽혔다.

"무슨 일이십니까, 나리."

"밀실 한 채를 빌리겠네."

"평소 즐겨 사용하시던 그 방 말씀이십죠? 네, 네. 이리로 오시지요."

왕 대인은 이곳 다관의 고객인 듯 초로의 다박사는 그를 깍듯하게 모셨다.

대청 안쪽으로 여러 개의 방이 줄지어 마련되어 있었다.

방은 모두 문이 닫혀 있었으며, 대부분의 문고리에는 나무로 만든 패가 하나씩 매달려 있었다. 이 방에는 손님이 있다는 표식이었다.

설벽린은 가만히 귀를 기울였다. 그러자 서너 개의 방에서 여인의 흐느끼는 신음과 달뜬 목소리 사내의 거친 숨소리가 희미하게 들려왔다.

'호오. 방음도 잘되어 있네.'

설벽린은 속으로 피식 웃으며 중얼거렸다.

'대낮부터 정사를 즐기다니…… 정말 부럽다, 부러워.'

"이리로 오시죠."

초로의 다박사는 설벽린과 왕 대인을 가장 안쪽의 은밀한 밀실로 안내했다.

밀실의 구조는 단출했지만 그 안에 있는 가재도구는 화려하고 고급스러웠다.

금박을 씌운 침상과 골동품처럼 오래되어 보이는 차탁이 두 개. 그리고 옷을 챙겨 둘 수 있는 자개장 하나가 전부인 밀실이었다.

설벽린은 쓴웃음을 지었다.

'왕 대인이 자주 애용한다는 게 무슨 의미인지 잘 알겠다.'

왕 대인은 은자 한 냥을 차박사에게 쥐여 주며 말했다.

"차와 다과를 가져오고 그 후로는 아무도 출입하지 못

하게 하게."

"그리하겠습니다, 나리."

왕 대인은 설벽린을 보고는 이상야릇한 미소를 지으며 밀실 밖으로 나갔다. 이번에도 설벽린은 쓰게 웃었다.

'설마 왕 대인이 남색(男色)을 즐겼나?'

"자, 앉으시죠."

왕 대인이 자리를 권하며 말했다.

"차가 올 때까지 공동파에서 무슨 일이 벌어졌나 이야기해 드리겠습니다. 조금 전의 구슬들에 대한 감정은 그 이후에 하기로 하죠."

"그럽시다."

설벽린은 고개를 끄덕이며 자리에 앉았다.

"그러니까…… 음, 어디서부터 이야기를 해야 하나?"

왕 대인은 잠시 생각을 하다가 천천히 입을 열었다.

"사나흘 전의 일입니다. 한 노인을 종복으로 대동한 소공자가 이곳 평량현에 모습을 드러냈죠. 그때만 하더라도 그가 어떤 인물인지, 또 앞으로 이곳에서 무슨 일을 벌일지 아무도 몰랐습니다. 그래서 그들에 대해 신경을 쓰거나 관찰한 자는 전혀 없었습니다."

노인을 종복으로 둔 소공자라면 강호에서 흔히 만나 볼 수 있는 존재였다.

하지만 왕 대인으로부터 그 말을 듣는 순간 설벽린은

알 수 있었다. 그들이 누구인지, 또 대충 무슨 일을 저질렀는지 직감했다.

'위천옥이구나. 그리고 공동파의 도사들과 시비가 붙어서 다들 죽여 버렸을 테고.'

그는 속으로 고개를 절레절레 흔들며 생각했다.

아니나 다를까 왕 대인은 설벽린이 예상한 바대로 이야기를 이어 나갔다.

한 쌍의 노소(老少)가 객잔에 들러 식사를 하던 참에 인근 공동파에서 내려온 젊은 도사들과 시비가 붙었다. 나중에 주변 손님들이 밝힌 바로는, 사실 아무것도 아닌 문제를 가지고 다투기 시작했다고 했다.

젊은 도사들은 천하의 고수들에 대해서 대화를 나누고 있었다. 처음에는 그저 자기네들끼리 두런두런 나누는 대화였는데, 제법 취기(醉氣)도 오르고 흥도 일고 해서 점점 그들의 목소리가 점점 커지기 시작했다.

그들은 세상의 호사가(好事家)들이 천하 십대고수(十大高手)를 이야기하는 가운데 왜 공동파의 장문인을 외면하는지에 대해서 섭섭하고 억울해했다.

어느 젊은 도사는 비분강개한 목소리로 소리치기도 했다.

"공동파가 중원의 바깥 지역에 있어서 괄시를 받고 있다고 생각하네!"

또 다른 도사가 고개를 끄덕이며 말을 받았다.

"비록 서래제일산(西來第一山)이라고는 하지만, 확실히 공동산은 무림의 중심에서 벗어나 있지. 그래서 세상 사람들이 공동파의 무공이 얼마나 놀랍고 대단한지, 우리 장문인이 얼마나 강한지 전혀 모르고 있는 거야."

그때 한 구석진 곳에서 "흥!" 하는 코웃음이 들려왔다. 젊은 도사들은 일제히 성난 눈초리로 소리가 난 곳을 돌려보았다. 예의 그 노인을 종복으로 데리고 다니는 소년이 낸 코웃음이었다.

하지만 젊은 도사들은 노인이 코웃음을 친 줄 알고 노인에게 물었다.

"노인장은 무슨 이유로 우리의 대화를 엿듣고 코웃음을 치는 것이오?"

그러자 소년이 피식 웃으며 중얼거렸다.

"누가 코웃음을 쳤는지도 모르면서 천하 십대고수 운운하기는."

"뭐라고?"

젊은 도사들이 자리에서 벌떡 일어났다. 하지만 소년은 전혀 기죽지 않은 채 태연하게 말을 이어 나갔다.

"공동파가 호사가들에게 외면받는 건 중원에서 멀리 떨어져 있기 때문이 아니라, 그들의 무공이 다른 문파에 비해서 현저하게 떨어지기 때문이지."

"낭패를 보기 싫으면 그 입 닥쳐라!"

"우리 공동파에 억하심정이라도 있더냐? 어찌 그리 함부로 망발을 내뱉는 게냐?"

젊은 도사들이 아우성을 치는 가운데, 소년은 무심하고 냉정한 목소리로 계속해서 말했다.

"뭐, 물론 공동파 무공이 약한 건 아니지. 그래도 한때는 무당파나 전진파와 함께 삼대 도가로 손꼽힌 적도 있었으니까."

젊은 도사들은 소년의 말이 칭찬이라고 생각한 듯 고함을 멈추며 어깨를 으쓱거렸다.

"당연하지. 본파야말로 천하제일을 다툴 수 있는……."

"하지만 그게 언제 적 이야기야? 전진파가 망한 지 벌써 수백 년이 흘렀지? 그러니까 공동파가 강했을 때 역시 수백 년 전의 일이라는 거야. 지금은 전혀 아니지. 왜냐고? 그야 당연하지 않겠어?"

주변 손님들은 매우 흥미진진한 표정으로 소년의 이야기를 들었다.

반면 공동파의 젊은 도사들은 시뻘겋게 얼굴을 물들인 채 주먹을 불끈 쥐고 있었고, 와중에도 소년의 말은 계속 이어졌다.

"공동파 도사들의 자질이 부족해서 선조들의 무공을 제대로 익히지 못했고, 그게 몇 대, 몇 십 대로 계속 이어져 내려오면서 지금은 아예 어떻게 해야 제대로 된 공동파의 무공을 수련할 수 있는지 그 자체마저 잃어버렸거든."

소년은 냉정하게 잘라 말했다.

"그래서 지금 공동파 도사들은 삼류에 불과해."

젊은 도사들은 소년이 공동파의 무공을 삼류라고 말하는 순간, 더는 화를 참지 못하고 소년을 향해 공격을 퍼부었다.

놀랍게도 어느새 검을 빼 들었는지 그들의 손에는 하나같이 검이 들려 있었고, 그 검은 전광석화처럼 소년의 팔과 어깨를 찌르고 있었다.

소년은 당황하지 않았다.

"흥! 내가 이야기했잖아? 겨우 이 정도라니까."

그는 코웃음을 치며 들고 있던 젓가락으로 검들을 튕겼다.

챙챙챙!

맑은 소리와 함께 그를 찔러 가던 검신이 유리처럼 박살 났다.

"헉!"

"뭐, 뭐냐?"

젊은 도사들은 당황하여 어찌할 바를 몰라 했다.

지금 그들이 펼친 건 공동파의 검법 중 하나인 낙일관홍세(落日貫紅勢)의 초식이었다.

그 정교함과 빠르기는 무림의 그 어떤 쾌검에 견주어도
전혀 손색이 없다는 초식이었는데, 믿을 수 없게도 소년
은 젓가락으로 세 자루의 검을 동시에 튕겨서 아예 박살
을 낸 것이다.

"아무래도 안 되겠구나."

소년은 젓가락을 내려놓으며 자리에서 일어났다. 그는
세 명의 젊은 도사들을 돌아보며 명령을 내리듯 짧게 말
했다.

"가자."

뜬금없는 소리에 도사들의 눈이 커졌다. 소년은 가볍게
인상을 찌푸리며 말했다.

"문하 관리를 어떻게 해서 이 꼴인지, 네놈들의 존장
(尊長)을 만나 따져야겠다. 그리고 네 녀석들에게 세상이
얼마나 넓고, 하늘이 얼마나 높은지 똑똑히 가르쳐 줄 터
이니 어서 공동파로 나를 안내해라."

도사들은 입을 쩍 벌리고 소년의 오만하고 광오한 말을
듣다가 다시 한번 공격을 감행하려 했다.

하지만 이번에는 아예 소년의 곁에 다가가지도 못한 채
객잔 바닥에 나동그라져야 했다.

그들이 막 몸을 날리려는 순간 잠자코 앉아 있던 노인
이 지풍(指風)을 날렸고, 그 일격이 순식간에 도사들의
허벅지를 관통한 것이다.

"어이쿠!"

"아악!"

젊은 도사들은 바닥에 나동그라진 채 허벅지를 부여잡고 이리저리 뒹굴었다.

소년이 눈살을 찌푸리며 노인을 질책했다.

"누가 함부로 손을 쓰라고 했지?"

노인은 정중하게 사과했다.

"죄송합니다. 하룻강아지들이 범 무서운 줄 모른다고, 저런 애송이들이 감히 소야에게 덤벼드는 걸 도저히 참을 수가 없었습니다."

"흥! 언제나 말은 잘한다니까. 뭐, 어쨌든 좋아."

소년은 도사들을 걷어차며 말했다.

"꾀병 부리지 말고 벌떡 일어나, 다들."

도사들은 그가 걷어찰 때마다 커다란 망치로 얻어맞는 듯한 고통을 느끼며 비명을 지르고 신음을 흘렸다.

소년에게 몇 차례 더 발길질을 당하자 도사들은 계속해서 이런 고통을 당하는 것보다 소년의 말을 듣는 게 낫다고 판단했는지, 피가 철철 흐르는 허벅지를 부여잡은 채 어떻게든 자리에서 일어났다.

소년은 혀를 쯧쯧 차며 물었다.

"지혈도 할 줄 모르는 건 아니겠지?"

젊은 도사들은 공포와 충격 속에서 황급히 지혈했다. 잠시 기다려 준 소년은 턱으로 공동산 쪽을 가리키며 말했다.

"그럼 이제 안내해라."

새파랗게 질린 도사들의 얼굴에 복수와 증오의 빛이 일렁거렸다. 공동파의 장로들과 고수들을 떠올린 순간, 그들은 더 겁낼 것 없다는 듯이 크게 소리쳤다.

"사부께서 네놈을 용서하지 않으실 거다!"

"겨우 그런 실력으로 본파의 고수들을 상대하려고 하다니, 죽고 싶어 환장을 했구나!"

소년은 길게 한숨을 쉬며 말했다.

"또 맞을래? 그냥 안내할래?"

젊은 도사들은 황급히 입을 다물고 몸을 돌려 절룩거리며 객잔을 빠져나갔다.

소년은 천천히 그 뒤를 따라 나갔고, 마지막으로 나선 노인은 자신들의 식대는 물론 젊은 도사들의 술값까지 계산한 후 객잔을 벗어났다.

2. 거래

왕 대인이 이야기를 멈췄을 때, 때마침 밖에서 늙은 다 박사의 음성이 들려왔다.

"언제쯤 들어가도 되겠습니까?"

밀실 안에서 무슨 일이 벌어지고 있든 간에, 옷매무새를 다듬을 수 있는 충분한 시간을 줄 수 있다는 의미의 질문이었다.

"들어오게."

왕 대인의 말에 밀실 문이 열리고 다박사가 다과와 차로 가득 차려진 상을 든 채 안으로 들어왔다.

그는 옷을 입고 있는 두 사람을 보고는 흠칫 놀라는 표정을 짓더니, 이내 다시 친절한 미소와 함께 상을 놔두고 밖으로 나갔다.

"그럼 좋은 시간 보내십시오."

문이 닫히기 전 들려온 다박사의 목소리였다.

'정말 어디까지 착각한 거지?'

설벽린은 한숨을 쉬었다.

하기야 외려 어지간한 여인보다 아름다운 용모를 지닌 까닭에 여인으로 오해를 받은 적도 많았으며, 또 남색가들의 수없는 접근도 있었다.

그러니 이런 오해 나 착각 정도는 늘 웃으며 넘겼는데, 역시 그것도 때와 장소, 사람에 따라서 달라지는 법이다. 이 누룩 돼지와 같은 왕 대인과 잠자리를 갖는다고 생각하니 절로 오한이 나고 온몸에 소름이 끼쳤다.

'이왕 오해할 거라면 상대도 좀 괜찮은 남자일 때 오해하라고!'

설벽린은 속으로 투덜거리면서, 겉으로는 온화하고 부드럽게 미소 지으며 입을 열었다.

"그래서 어찌 되었습니까? 공동파로 간 소년은요?"

"아, 네."

막 찻물을 음미하던 왕 대인이 황급히 찻잔을 내려놓으며 입을 열었다.

"난리가 났더랍니다. 워낙 입단속을 철저히 한 까닭에 자세한 속사정은 공동파 밖으로 새어 나오지 않았습니다만, 아무래도 장문인이나 혹은 그 급에 해당하는 공동파의 고수가 소년에게 살해된 모양입니다."

"네? 겨우 그 정도로 끝입니까?"

설벽린이 놀라 물었다.

"네? 그게 무슨……."

왕 대인이 당황해하며 되물었다. 설벽린은 내심 아차 싶어서 웃으며 말했다.

"아뇨. 공동파 장문인 혹은 장문인급에 해당되는 고수가 죽었는데 소년에게 따로 복수하지 않았나 해서요."

"아, 그게 말입니다. 워낙 충격적인 일이었다는 소문이 있습니다. 당시 그곳에 있던 모든 도사들이 넋 놓고 움직일 줄 몰라 했다는, 복수는커녕 외려 자신들의 목숨을 걱정해야만 했다는 뭐 그런 헛소문이 퍼졌죠."

왕 대인이 껄껄 웃으며 다시 찻잔을 들었다.

'아니, 헛소문이 아닐 거야.'

설벽린은 내심 중얼거렸다.

위천옥이라면, 그가 마음먹고 살수를 휘두른다면 그 광경을 목도한 사람들은 모두 경악과 공포, 두려움에 휩싸이게 된다.

마치 뱀 앞의 개구리처럼, 혹은 고양이 앞의 쥐처럼 꼼짝도 하지 못한 채 오들오들 떨기만 할 게 분명했다.

설벽린 본인이 그러했으니까. 그런 경험을 해 봤으니까. 위천옥의 그 흉포하고 잔악하며 잔인한 손속을 바로 옆에서 구경할 수 있었으니까.

그러니 위천옥의 무서움에 대해서는 누구보다도 잘 알 수밖에 없는 설벽린이었다.

"자, 그럼 그 이야기는 끝났으니 이제 본론으로 들어갑시다. 아까 그 구슬들을 보여 주셔야죠?"

왕 대인이 다시 손을 비비며 입을 열었다.

순간 설벽린은 하마터면 이 왕 대인에게 남은 보물 모두를 꺼내 보이려고 했다. 이대로 계속해서 북상하다가 자칫 위천옥과 마주치면 그때는 빼도 박도 못한다는 생각이 들었기 때문이었다.

하지만 설벽린은 그런 유혹을 가까스로 참아 내며 다시 보자기를 꺼내 풀었다. 왕 대인은 조심스럽게 구슬들을 가까이에서 보고 관찰하며 세세하게 살폈다.

그동안 설벽린은 차를 마시며 곰곰이 생각에 잠겼다.

'아무래도 경로를 바꿔야겠지? 보아하니 위천옥 그 녀석도 서안이나 난주 쪽으로 이동하는 것 같은데…… 행선지가 겹칠 이유는 전혀 없지.'

설벽린은 머리를 굴렸다.

'호광 쪽은 예추와 군악이 맡기로 했고, 그 아래 지방은 담 형님이 가기로 했으니까……. 그럼 아예 낙양 쪽으로 방향을 돌려 봐?'

그렇게 설벽린이 앞으로의 행선지에 대해서 고민하는 사이, 왕 대인은 이윽고 감정을 마친 듯 길게 한숨을 쉬며 허리를 폈다.

그는 소매로 이마의 땀을 훔치며 말했다.

"두 구슬 모두 진품이군요."

설벽린은 퍼뜩 상념에서 깨어나 웃으며 말했다.

"제가 언제 가품을 상대했습니까?"

"그야 그렇죠. 음, 이걸 얼마에 파실 생각이십니까?"

"얼마면 사실 의향이 있으신지요?"

"글쎄요. 하나라면 몰라도 두 개는…… 너무 금액이 커져서 제가 감당할 수 없을 것 같습니다."

"하하, 천하의 왕 대인께서 그런 약한 말씀을 하시면 안 되죠. 이 평량현 일대에서 왕 대인만큼 알부자인 사람이 또 어디 있다고요?"

"소문입니다, 헛소문. 그저 하루하루 입에 풀칠하는 것보다는 조금 더 넉넉하게 살아가고는 있습니다만…… 이 구슬들을 한꺼번에 구입하려면 아무래도 가격이 맞아야 할 것 같습니다."

두 사람이 이리저리 길게 대화를 나누고 있지만, 결론은 하나였다.

비싸게 팔겠다, 그리고 싸게 매입하겠다는 두 사람의 의견 충돌. 혹은 가격 협상을 위한 저울질.

그리고 굳이 가격을 먼저 입에 올리지 않는 것 역시 상대에게 자신의 의중을 들키지 않게 하기 위함이었으며, 반대로 상대의 의중을 파악하기 위해서이기도 했다.

결국 이 대화는 어느 쪽의 욕구가 더 크느냐에 따라서 끝나기 마련이었다.

"이거면 어떨까요?"

왕 대인이 손가락 하나를 반으로 구부리며 물었다. 설벽린은 어림도 없다는 듯이 고개를 저었다. 왕 대인은 설벽린의 표정을 살피며 구부렸던 손가락을 반쯤 펼쳤다. 이번에도 설벽린이 고개를 저었다.

왕 대인은 한숨을 쉬면서 망설였다, 고개를 크게 젓기도 하고 어깨를 축 늘어뜨렸다가 다시 한숨을 쉬었다. 그러고는 한 손가락을 끝까지 펼치고는 아주 힘겹게 입을 열었다.

"이게 마지막 제안입니다. 더는 무리입니다."

설벽린은 망설이지 않고 두 손가락을 펴며 말했다.

"왕 대인께서 그렇게까지 말씀하시니 이 가격에 넘기겠습니다."

왕 대인이 깜짝 놀라는 시늉을 했다가 이내 울상을 지으며 말했다.

"아이고, 그건 너무 과합니다. 너무 비쌉니다. 아무리 이 구슬 한 알에 성 하나를 살 수 있다는 말이 있지만, 그래도 은자 이백만 냥은 제가 감당할 수 없는 거액입니다. 게다가 요 근방에서는 구슬 두 개를 한꺼번에 살 재력가도 쉽게 구할 수 없습니다."

왕 대인은 울음기까지 섞인 목소리로 애원했다. 하지만 설벽린은 여전히 미소를 잃지 않은 채 말했다.

"왜 이러십니까, 왕 대인? 이거 한 알에 아무리 못해도 은자 백오십만 냥은 족히 받을 수 있다는 거, 왕 대인도 알고 저도 아는 일이잖습니까? 단지 제가 급하게 돈이 필요해서 파는 거지, 시간만 되고 여유만 있다면 충분히 제 가격 받고 팔 수 있습니다. 아닌 말로 서안이나 난주에만 가더라도 이 정도 물건을 살 재력가, 넘쳐 나지 않겠습니까?"

설벽린은 굳이 북쪽의 '서안'과 '난주'라는 성시를 입에 올린 건, 행여나 왕 대인의 시선이 남쪽 성도부로 향하지 않게 하기 위함이었다.

"말이 백오십이지, 절대 그렇게 팔리지 않습니다. 일전에 십삼대산 일대에 살아가는 소수 부족 쪽에서 제법 많은 보물들이 흘러나온 적이 있습니다. 그 때문에 가격이 많이 내려갔어요. 예전 생각하시면 안 됩니다. 지금은 아무리 많이 받아야 개당 백만 냥 받기 힘듭니다."

왕 대인은 울상이 된 채 말했다. 설벽린은 내심 고개를 끄덕이며 생각했다.

'흠. 예추와 군악이 십삼대산에서 보물을 가져오면서 그곳 소수 부족들에게 수고비 삼아 보물을 나눠 줬다고 했던데…… 그게 이런 식으로 돌아오는구나.'

왕 대인이 계속해서 사정했다.

"거기에 보관료, 고객을 찾아다니는 등 중간에서 고생한 사람들에게 떼어 주는 수고료, 이런저런 잡비까지 다 포함하면 최소한 절반 가격이 지출로 나갑니다. 그러니 제게 떨어지는 이익은 전혀 생각하지 않아도 개당 오십, 도합 백만 냥이 제가 부를 수 있는 최고 금액입니다."

"좋습니다. 그럼 백오십으로 하죠."

설벽린은 힘주어 말했다.

"왕 대인께서 자신의 이익까지 생각하지 않고 말씀하시니 저도 제가 손해 보는 가격으로 최종 제안을 드리겠습니다. 백오십. 그게 아니라면 오늘 거래는 없었던 거로 해야 할 것 같습니다."

그렇게 말을 맺은 설벽린은 찻잔을 들었다.

일반적으로 마지막 액수를 통보한 후 차 한 잔을 마실 때까지 결과가 나오지 않으면 그 거래는 성사되지 않는 것으로 간주했다. 대륙의 다른 지역은 몰라도 이곳 서쪽 지역만큼은 그게 불문율이었다.

용정차는 좋았다. 향은 진했고, 찻물은 씁쓸하면서도 달콤함이 묻어 있었다. 아주 좋은 차에 적당한 온도에 딱 맞은 시간을 우려내서 만든 차임이 분명했다.

설벽린은 그렇게 천천히 차를 음미하면서 한 잔을 비웠다. 딸그락 소리가 나도록 찻잔을 내려놓은 그는 보자기를 주섬주섬 싸기 시작했다.

그때까지 왕 대인은 손을 비비면서 식은땀만 흘린 채 아무런 말도 하지 않았다. 보자기를 다 싼 설벽린은 그제야 왕 대인을 바라보며 미소를 지었다.

"이렇게 오래간만에 뵙게 되어 즐거웠습니다. 그럼 또 이른 시일 안에 다시 만나기를 고대하면서, 저는 이만."

그는 정중하게 인사하며 자리에서 일어났다.

그때, 왕 대인이 어쩔 수 없다는 듯이 크게 고개를 끄덕이며 입을 열었다.

"제가 졌습니다."

3. 미행자(尾行者)

왕 대인은 분하다는 눈빛으로 설벽린을 바라보았다.

"은자 백오십만 냥. 좋습니다. 그렇게 거래하죠."

'진작에 그러지.'

설벽린은 웃으며 자리에 앉았다.

"왕 대인의 결단에 감사드립니다. 하지만 왕 대인께서도 말씀하셨다시피 품만 넉넉히 들이면 두 배에서 세 배가량의 가격으로 팔 수 있으니, 부디 좋은 물주 하나 잡기를 기원합니다."

"말씀 감사합니다."

설벽린이 자리에 앉아서 보자기를 푸는 것과 때를 맞춰 왕 대인은 품에서 전표 한 다발을 꺼냈다.

"설 대부께서 좋은 물건이 있다고 연락을 주셨기에 혹시나 해서 최대한 긁어모은 전표입니다."

그는 전표를 뒤적거리며 어색하게 웃었다. 방금까지도 하루 벌어 하루 먹고산다고 엄살을 떤 입장에서 이렇게 기백만 냥의 전표를 들고 다니는 게 영 쑥스러웠던 것이다.

그는 은자 십만 냥짜리만 골라 설벽린에게 건넸다. 설벽린은 예리한 눈빛으로 전표의 곳곳을 확인했다.

거래에서 가장 중요한 대목이 바로 이 부분이었다. 그

리고 거래금으로 받은 전표가 진품인지 가짜인지 확인할 수 있는 능력이 있느냐 없느냐에 따라서 장사꾼의 가치가 크게 달라졌다.

전표는 대륙 전역에 산재해 있는 전장(錢莊)에서 지급하는 수표와 같았다. 액수가 크면 클수록 사고 위험이 커지는 만큼, 상인들은 그 전표를 발행하는 전장의 신용도가 높은 전표를 애용했다.

수십, 수백 개의 전장들이 난립한 가운데 그중에서 대표적인 전장은 다섯 손가락 안에 꼽혔고, 지금 설벽린이 들고 있는 전표는 그 다섯 전장 중 한 곳인 대륙전장(大陸錢莊)의 전표였다.

그렇다고 해서 무작정 안심하고 받아서는 안 된다. 복사하거나 모사(摹寫)하여 만든 가짜 전표들이 적지 않은 만큼, 확실하게 인장을 살피고 전표의 재질을 확인하여 진품 여부를 가려야 했다.

'모두 진짜 대륙전장의 전표다.'

설벽린은 고개를 끄덕이며 전표들을 품에 넣다가 문득 왕 대인을 바라보았다. 왕 대인도 보자기를 풀어 구슬들을 다시 확인하고는 다시 보자기를 꽁꽁 동여매면서 마침 설벽린을 쳐다보았다.

두 사람의 시선이 마주쳤다.

희미한 미소가 상대방의 얼굴에 떠올랐다가 황급히 사

라지는 걸 두 사람은 똑똑히 확인할 수 있었다. 놀랍게도 이번 거래는 양쪽 모두 이익이라고 생각하며 만족스러운 결과로 끝났다.

하지만 이내 황 대인은 억울하다는 표정을 지으며 말했다.

"다음에는 이렇게 제게만 손해를 감수하게 하시면 안 됩니다. 그때는 설 대부의 체면을 생각하지 않을 테니까요."

거래하다가 보면 이렇게 끝까지 자신이 밀졌다며 징징거리는 장사꾼이 있었다. 삼류의 행동이었다.

일류는 언제나 활짝 웃는 법이다.

거래가 성사되지 않아도, 설령 손해를 봤다 하더라도 끝낼 때는 웃으며 상대에게 예를 표하는 장사꾼이 일류였다. 그런 장사꾼만이 미래가 있는 법이었다.

설벽린은 활짝 웃으며 말했다.

"그럼 다시 만날 때까지 보중하시기를."

설벽린은 그렇게 인사하며 밀실을 나섰다.

다관을 나선 설벽린은 손으로 얼굴을 가리며 하늘을 올려다보았다.

아직도 해는 머리 위에 있었다. 대략 반 시진 정도 이곳 다관에서 보낸 듯했다.

생각보다 거래가 일찍, 그리고 수월하게 끝났다. 어쩌니 저쩌니 해도 결국 설벽린과 왕 대인의 궁합이 잘 맞는다는 뜻이다.

'궁합이라니. 우엑!'

설벽린은 속으로 투덜거리면서 동쪽 거리를 향해 발길을 옮기려다가 문득 이채의 눈빛을 빛냈다.

'누구지?'

누군가 그의 뒤를 따라붙었다. 그의 뒤를 쫓는 기척이 그리 멀지 않은 곳에서 감지되었다.

설벽린은 고개를 돌리지 않은 채 귀만 쫑긋거렸다.

'미행의 전문가는 아니다. 저렇게 발걸음 소리를 뭉툭하게 내면서 내 뒤를 따르는 걸 보면.'

설벽린은 마침 항아리를 짊어지고 다가오는 여인을 쳐다보았다. 반질반질 윤기가 나는 항아리 겉면에 설벽린을 미행하는 자들의 모습이 불분명하게 비쳤다.

자신을 몰래 훔쳐보는 그 불쾌하고 짜증 나는 시선이 대략 네 개.

설벽린을 스쳐 지나가는 항아리에 비친 미행자들은 다관 삼 층에서 맞은편 자리에 앉아 은밀한 대화를 나누던 바로 그 도사들이었다.

'왜지?'

설벽린은 고개를 갸웃거렸다.

'공동파 도사들과 별다른 은원은 없었던 것 같은데……'

알 수 없었다. 정확한 건 아무래도 그들의 입을 통해서 들어야 할 듯했다.

설벽린은 일부러 인적 드문 곳으로 발길을 옮겼다.

그는 몇 개의 골목을 지나치다가 사람 보이지 않고 길 양쪽으로 문이 굳게 닫힌 골목을 찾아 그 안으로 들어갔다. 그리고 뒷짐은 진 채 도사들이 골목으로 들어서기를 기다렸다.

불과 열을 헤아리기도 전에 도사들이 허겁지겁 골목 안으로 뛰어 들어왔다. 다급한 기색으로 뛰어든 그들은 바로 코앞에 우뚝 서 있는 설벽린을 보고는 깜짝 놀라며 걸음을 멈췄다.

설벽린은 빙긋 웃으며 말했다.

"공동파와는 아무런 인연이 없었던 것 같은데…… 공동파의 여러 도사들께서 다관에서부터 예까지 저를 쫓아온 이유가 궁금합니다."

도사들은 서로를 돌아보며 머뭇거렸다. 그중 가장 나이가 들어 보이는 도사가 한 걸음 앞으로 걸어 나와 한 손을 들며 인사했다.

"무량수불(無量壽佛). 놀라게 했다면 죄송합니다. 전혀 그럴 의도는 없었으니 양해해 주시기 바랍니다."

'뭐 놀란 건 그쪽들 같은데.'

설벽린은 여전히 미소를 머금은 채 도사의 다음 말을 기다렸다.

"빈도의 도호는 청호(靑湖)라고 하며 강호의 동도들은 빈도를 청호자(靑湖子)라고 부릅니다."

도사의 말에 설벽린이 알은척을 했다.

"아, 원래 청호자이셨군요. 반갑습니다."

청호자라고 자신을 소개한 도사는 살짝 머뭇거렸다.

원래 강호의 예법이라면 이쯤에서 자신의 이름과 소속된 문파를 밝혀야 했다.

그런데 설벽린은 그저 미소만 지을 뿐 제 소개는 전혀 하지 않고 있었다. 청호자의 입장에서 보자면 당황스럽고 난감할 수밖에 없었다.

"허험."

청호자는 헛기침을 하며 다시 말했다.

"조금 전 다관에서 예가 아닌 줄 알면서 우연히 엿듣게 되었습니다만 혹시 귀하께서 저 서안의 설 대부가 맞으신지요?"

'어라?'

뜻밖의 전개였다.

갑작스레 자신을 미행한 공동파의 도사 입에서 '서안의 설 대부'라는 말이 흘러나올 줄은 설벽린도 미처 예상하지 못한 일이었다.

"무슨 일로 그러시는지요?"

설벽린은 시인 대신 그렇게 되묻자, 청호자는 살짝 난감한 표정을 지으며 말했다.

"만약 귀하께서 설 대부이시라면 한번 뵙고 싶어 하시는 분이 계십니다."

"설 대부를요? 공동파에서요?"

설벽린은 눈을 동그랗게 뜨고 물었다.

'아니, 공동파와는 아무런 인연이 없는데? 아는 사람도 없고 물건을 거래한 적도 없는데 왜 나를 찾는 거지?'

그는 잠시 생각하다가 말했다.

"죄송합니다. 아무리 생각해도 공동파와는 그 어떤 인연도 없고, 아는 사람도 없네요. 그럼 저는 워낙 다급하고 촉박한 사정이 있어서 이만 자리를 뜨겠습니다."

설벽린은 점잖게 사과하며 걸음을 옮기려 했다.

그러자 청호자가 깜짝 놀라며 그의 팔을 잡으려 했다.

"자, 잠시만요."

설벽린은 황급히 팔을 빼는 동시에 호통을 쳤다.

"무슨 짓이오! 천하의 공동파가 이렇게 일반 백성을 함부로 대해도 되는 것이오!"

그의 호통에 놀랐는지, 아니면 당황해서 그랬는지 청호자는 다급하게 소리쳤다.

"군옥, 위군옥(魏君玉)이 설 대부를 뵙자고 합니다!"

일순 설벽린은 거짓말처럼 그 자리에 얼어붙었다.

입을 딱 벌린 채, 금방이라도 튀어나올 것처럼 두 눈을 부릅뜬 채 설벽린은 움직이지 않았다. 더불어 그의 사고도 그대로 정지했다.

세상에!

'군옥, 위군옥이라니.'

설벽린의 얼굴에서 천천히 핏기가 사라지고 있었다.

6장.
공동파(崆峒派)의 사람들

다른 성시와 마찬가지로 서안에도 여러 호족들이 있었다.
그 지역에서 수백 년 터를 닦으며 살아온 부자들을 호족이라고 한다면,
서안 북쪽에 자리 잡고 있는 위씨가문(魏氏家門)은
그런 호족 중에서도 손꼽히는 호족이었다.

1. 공동파(崆峒派)

"그녀는 잘 있습니까?"

설벽린이 나지막하게 물었다. 청호자는 무량수불을 외우며 대답했다.

"잘 지내고 있습니다."

"그녀는 공동파의 제자입니까?"

"그렇습니다."

"어떻게 공동파의 제자가 되었습니까?"

"그건 가서 그녀에게 직접 이야기를 들으시지요. 아마 매우 반가워할 겁니다."

"그녀가 반가워할 거라고요? 하하. 잘못 알고 계시는

군요. 그녀는 아마 저를 죽이려 할 겁니다."

"무량수불. 절대 그런 일은 없을 겁니다. 그녀는 늘 설대부를 그리워했고, 또 아쉬워했으니까요."

"믿을 수 없습니다."

"만나 보면 알게 되실 겁니다."

청호자의 말에 설벽린은 입술을 깨물었다. 만나러 가고 싶다는 심정과 가기 싫다는 생각이 정확하게 그의 마음을 반으로 가르고 있었다.

지금까지 살아오면서 설벽린은 수많은 여인과 정을 나누고 헤어지기를 반복했다.

그중에는 오로지 욕정을 풀기 위해 만났던 여인들도 있었고, 진심으로 마음을 주고 사랑했던 여인들도 있었다.

위군옥은 후자의 경우에 속하는 여인이었다. 그것도 한 순간이 아닌 평생을 함께하고자 했던 두 명 중 한 명이었으며, 그가 정혼까지 했던 유일한 여인이었다.

그녀의 모습을 떠올리는 설벽린의 눈가가 파르르 떨렸다. 그는 고민 끝에 결국 긴 한숨을 내쉬며 고개를 끄덕였다.

"그럽시다. 가서 만납시다. 설령 이게 모진 악연이라 하더라도 어떻게든 매듭은 지어야 할 테니까."

설벽린은 청호자를 바라보며 말했다.

"그럼 안내하시지요."

청호자가 활짝 웃으며 고개를 끄덕였다.

"잘 생각하셨습니다. 그녀만 아니라 공동파 모든 도사들이 설 대부를 환영할 겁니다."

* * *

공동파는 당연히 공동산에 그 터를 잡고 있었다. 그리고 공동산은 육반산(六盤山)의 지맥에 속하는 산이었다.

공동파는 한때는 도교의 성지로 불리기도 했고, 당당하게 구파일방에 속하기도 하는 등 그 유명세를 크게 떨친적도 있었다.

하지만 기백 년에 걸친 퇴락으로 인해 현재는 구파일방에서 속하지 못하는 그런 문파가 되었다.

그 공동파는 공동산의 주봉(主峯)인 취병봉(翠屛峰) 정상 인근에 자리 잡고 있었다.

한때 화려한 유명세를 떨쳤던 만큼, 아직도 팔대구궁십이원사십이좌(八臺九宮十二院四十二座)의 건축물들이 취병봉 정상 일대의 언덕 위아래로 고스란히 유지되고있었다.

또한 공동산에는 수많은 동굴이 있는데 그중에서도 특별히 일흔두 개의 동굴을 두고 석부동천(石府洞天)이라하며 따로 관리했다.

설벽린은 청호자와 다른 도사들의 안내를 받으며 취병봉을 올랐다.

　첩첩 봉우리가 연달아 쌓여 한없이 골이 깊었고 험한 산 중턱은 마치 절벽처럼 가팔랐다. 초목과 삼림이 울창하고 무성한 가운데 온갖 산짐승들이 자유롭게 돌아다니고 산새들이 날아다녔다.

　한동안 말없이 산을 오르던 설벽린은 문득 시원한 바람을 느끼고 뒤를 돌아보았다.

　남쪽 멀리 황토고원(黃土高原)이 시야를 가득 메우며 펼쳐져 있었다. 낮은 구릉이 잔잔한 파도처럼 지평선까지 이어지고 있었다.

　그 웅장한 대자연의 광경을 보고 있으려니, 절로 가슴이 탁 트이고 정신이 맑아졌다.

　설벽린은 저도 모르게 가슴을 내밀며 길게 숨을 들이마셨다. 산 특유의 공기가 그의 폐부를 말끔하게 씻어 주었다.

　"좋지요?"

　청호자가 웃음기 담긴 목소리로 말했다.

　"빈도도 이곳 풍경을 너무 좋아합니다. 거칠 것 없고 막힘없이 뻥 뚫린 저 하늘과 땅을 바라보고 있자면, 빈도의 마음 또한 그렇게 활짝 트이는 것 같거든요."

　"아, 방금 저도 그런 기분을 느꼈습니다. 하하, 이것

참, 그럼 저도 도사의 자질이 조금이나마 있나 봅니다."

"도사라는 게 어디 특별한 점이 있겠습니까? 도를 생각하고 도를 닦으며 도를 깨우치고자 하는 이라면 다들 도사인 게죠. 무량수불."

"그렇군요. 그럼 또 이동할까요?"

설벽린의 말에 도사들은 다시 그를 안내하기 시작했다.

얼마나 취병봉을 올랐을까.

험한 산길을 가로막은 채 우뚝 서 있는 문이 하나 모습을 드러냈다. 현판에는 조천문(朝天門)이라는 세 글자가 웅장한 글씨체로 적혀 있었다.

조천문 앞을 지키고 있던 젊은 도사들이 청호자를 보고는 예를 갖추며 인사했다.

"무량수불. 청호 사숙을 뵙습니다."

"됐다. 다른 손님들은 없었더냐?"

청호자가 물었다. 젊은 도사들은 고개를 저었다.

"오늘은 단 한 분도 보이지 않았습니다. 향화객들도 찾아오지 않는 것이, 아무래도 이번 사태……."

"그만해라. 외인이 있는 자리다."

청호자의 말에 주절주절 이야기를 늘어놓던 젊은 도사가 당황해하며 얼른 입을 다물었다. 청호자는 다시 설벽린을 보며 말했다.

"자, 가시죠. 이제 거의 다 왔습니다."

거짓말이었다.

조천문을 지나고도 한 식경가량이나 더 산을 오른 후에야 겨우 머리 위로 사오 층 전각과 탑과 궁이 보였다.

공동파의 모든 건물은 널찍한 평지에 일괄적으로 지어지지 않았다. 언덕과 언덕 사이, 비탈 주변의 평평한 공터 등을 이용해서 건물들이 켜켜이 쌓아 가며 자리하고 있었다.

'당연하겠지. 이 수많은 건물이 한데 들어갈 공간이 있을 리 없으니까.'

설벽린은 공동파의 건물들을 지나치며 주변을 살폈다. 곳곳에 도사들이 오가고 있었지만, 그들 모두 침울한 안색을 하고 있었다. 웃고 떠들며 활발한 모습을 보여 주는 이는 어디에고 없었다.

그렇게 언덕을 따라 빙 둘러서 오르자, 이윽고 취병봉의 정상이었다. 바로 이곳이 공동파의 본당이라 할 수 있을 정도로 많은 건물이 거리를 두고 세워져 있었다.

또한 깎아지른 절벽마다 바로 그 위에 탑이나 대가 설치되어 있었는데, 취병봉을 빙 둘러서 세워진 대의 숫자는 모두 여덟 개였다.

"자, 이리로."

청호자는 그 건축군(建築群) 중에서 가장 화려한 오 층

전각으로 설벽린을 안내했다. 그를 따라가면서 설벽린이
조심스레 물었다.

"그곳에 그녀가 있습니까?"

"아닙니다."

청호자는 웃으며 고개를 가로저었다.

"저곳은 혼원궁(混元宮)이라 하여 본파의 모든 대소사
를 관장하는 곳입니다."

"그곳에 왜 제가……."

"설 대부께서는 이곳의 귀한 손님이시니 뭇 도사들과
인사를 나누고 잠시 대화를 가졌으면 해서요."

이상하다.

설벽린은 아무래도 '이상하다'라는 기분을 떨쳐 낼 수
가 없었다. 산을 오르기 전부터 그랬다. 당시 청호자는
활짝 웃으며 이렇게 말했다.

"공동파 모든 도사들이 설 대부를 환영할 겁니다."

아니, 뭇 도사들의 환영을 받을 거라니. 왜 설벽린이
그들에게 환영을 받을까.

그리고 지금도 마찬가지였다. 귀한 손님 운운하는 것
도, 도사들과 인사를 나누고 대화를 가지는 것도 모두 평
범한 일이 아니었던 게다.

설벽린은 단지 위군옥이 자기를 찾는다고 해서, 만나고
싶다고 해서 공동파를 방문했을 뿐이었다. 이렇게 도사
들의 환영을 받고 인사를 나누고 대화를 가질 하등의 이
유도 없었다.

하지만 설벽린은 아무 말 없이 청호자의 뒤를 따라 혼
원궁으로 향했다.

일순 그의 눈썹이 꿈틀거렸다. 거대한 오 층 전각의 한
쪽 귀퉁이가 천재지변이라도 만난 듯 크게 허물어져 있
었다. 그리고 많은 도사들이 웃통을 벗어 던진 채 복구
작업에 여념이 없었다.

"죄송합니다. 일이 좀 있어서."

설벽린은 청호자의 말을 귓등으로 흘려보내며 생각했다.

'위천옥의 짓이로구나.'

도저히 사람이 한 짓이라고는 보이지 않았지만, 그래도
설벽린은 저 천재지변과 같은 사태를 일으킨 자를 정확
하게 알아맞힐 수 있었다.

'도대체 넌 이곳에서 무슨 짓을 저지른 거냐?'

절로 한숨이 흘러나왔다.

"들어가시죠."

청호자의 안내에 따라 설벽린은 이윽고 혼원궁으로 들
어섰다. 청호자는 입구 앞에 서 있던 젊은 도사를 향해
말했다.

"설 대부를 모셔 왔다고 전해라."

젊은 도사가 깜짝 놀라며 설벽린을 바라보고는 서둘러 궁 안으로 들어갔다.

'아니, 이러니까 내가 점점 더 대단한 사람처럼 생각되잖아? 도대체 왜 내가 이런 거한 대접을 받아야 하는데?'

아무리 생각해도 영문을 알 수 없자 설벽린은 더 이상 생각하는 것을 포기했다.

'시간이 지나면 어련히 알게 될까.'

그는 마음 편하게 먹고 기다렸다. 소식을 전하러 갔던 젊은 도사가 다시 나와 인사하며 말했다.

"들어오시라고 합니다."

"그럼 들어갑시다."

문이 열렸다. 거대한 대청이 시야를 가득 메웠다. 수백 명이 줄지어 앉아서 좌선하고 참배를 할 수 있을 정도로 넓은 대청이었다.

그 대청 정면에는 수십 개의 의자가 나란히 늘어서 있었다. 그리고 수십 명의 늙은 도사들이 그 의자에 앉은 채 설벽린을 기다리고 있었다.

젊은 도사가 쪼르르 달려와 대청 중앙에 차탁 하나를 내주었다. 청호자가 그 차탁으로 설벽린을 안내하고는 늙은 도사들에게 정중하게 말했다.

"서안의 설 대부를 모셔 왔습니다."

"무량수불."

수십 명의 노도사들이 동시에 도호를 외웠다. 낮고 묵직한 목소리가 둥근 대청 곳곳에 반사되어 메아리처럼 울려 퍼졌다. 신비로우면서 장엄한 분위기가 절로 연출되는 공간이었다.

2. 재회(再會)

"서안의 설 모(某)라고 합니다. 보잘것없는 소생을 이렇게 반겨 주어 영광입니다."

설벽린은 정중하게 인사했다. 정면 의자에 앉아 있던 노도사가 그 말을 받았다.

"공동의 벽운(碧雲)이라고 하오. 이렇게 명성 높은 설대부를 뵙게 되어 반갑소."

설벽린은 재빨리 머리를 굴렸다.

'가만있자. 현 공동파 장문인의 별호가 뭐였더라? 벽암진인(碧巖眞人)이 맞지? 그렇다면 이 벽운이라는 노도사는 공동파의 장로라는 건데…… 나이를 보건대 장문인의 사형일 가능성이 크겠군.'

거기까지 생각한 설벽린은 고개를 숙이며 말했다.

"위명 자자하신 벽운 장로를 뵙게 되어 진심으로 영광

입니다. 많은 하교 부탁드립니다."

"허허. 말씀도 잘하시는구려."

벽운 장로는 계속해서 설벽린을 칭찬하며 담소를 나눴다. 설벽린 또한 적당히 맞장구를 치며 이야기를 이어 나갔다.

그런 가운데 설벽린은 벽운 장로 좌우로 늘어앉아 있는 노도사들이 자꾸만 자신의 아래위를 훑어보면서 뭔가를 관찰하는 것처럼 느껴졌다.

'설마 이 늙은이들도 나를 여인으로 착각하는 건 아니겠지?'

설벽린은 그런 생각을 지우며 문득 진중한 표정을 지으며 입을 열었다.

"죄송합니다만 제 성격이 답답하고 어색한 걸 워낙 싫어하고, 단도직입적으로 이야기를 하는 걸 좋아하는 편입니다. 그래서 실례를 무릅쓰고 여쭙겠습니다. 공동파의 여러 장로께서 그저 평범한 장사꾼에 불과한 저를 이렇게까지 환대해 주시는 이유가 궁금합니다."

"허허허. 무량수불."

벽운 장로는 도호를 외우더니 한쪽으로 물러나 있던 청호자를 향해 말했다.

"설 대부를 안내해 드리도록 해라."

"명을 받들겠습니다."

청호자는 고개를 숙인 후 설벽린에게 다가와 소곤거리듯 말했다.

"이제 나가시죠."

설벽린의 눈이 동그랗게 변했다.

"제 궁금증에 대한 답을 주시지 않으셨는데요?"

"그건 나중에……."

"아닙니다. 벽운 장로께 듣기 전에는 나가기 싫습니다."

갑작스러운 설벽린의 고집에 청호자의 얼굴이 급변했다. 그는 당황하고 난감한 기색을 감추지 못하고 속삭였다.

"나가서 설명을 드리겠습니다. 그러니 어서 일어나시죠."

"싫습니다."

설벽린은 자리에서 일어나지 않았다.

"나가서 설명해 준다는 보장이 어디 있습니까? 답을 듣기 전에는 결코 나갈 생각이 없습니다."

"설 대부!"

"장사꾼을 너무 무시하고 있습니다. 저 같은 장사꾼은 결코 손해를 보지 않습니다. 어떻게든 이익이 날 때까지 자리를 뜨지 않고 협상을 관철하죠. 지금도 그렇습니다. 제가 이곳까지 오는 데 들인 시간과 소모한 체력 대신, 그 반대급부를 반드시 얻어 낼 작정입니다. 그게 조금 전 제가 여쭤봤던 궁금증에 대한 답이고요."

청호자는 계속 나지막하게 말했지만 설벽린은 당당하

고 떳떳한 목소리로, 대청에서 메아리가 들릴 정도로 크게 이야기했다.

전면에 마주 앉아 있던 여러 장로와 명숙들이 서로를 돌아보며 낮은 목소리로 뭔가 이야기를 나눴다.

설벽린은 계속해서 말을 이었다.

"답을 주시지 않겠다면 제가 추측해서 말씀드리죠. 아무래도 저 밖의 붕괴와 관련이 있는 게 맞지 않겠습니까?"

일순 수군거리던 장로들이 입을 다물었다. 묘한 긴장감을 지닌 침묵이 그들 주변에 내려앉았다. 설벽린은 그들을 돌아보며 말을 이어 나갔다.

"또한 한 명의 노인을 종복으로 삼은 소년과도 관련이 있지 않겠습니까?"

"그걸 어찌 아시는가!"

장로 중 한 명이 자리에서 벌떡 일어나며 소리쳤다.

"혹시 설 대부, 그대도 그자들과 관련이 있는 겐가!"

설벽린은 의아한 표정을 지으며 되물었다.

"아니, 누가 저를 이곳에 데리고 왔습니까?"

일순 벌떡 일어났던 장로의 눈가에 낭패의 빛이 스치고 지나갔다. 확실히 설벽린은 청호자의 초빙을 받아서 이곳으로 온 것이지, 제 발로 무작정 걸어 올라온 게 아니었다.

"만에 하나…….."

설벽린은 냉정하고 이지적으로 말했다.

"혹시라도 제게서 뭔가를 얻고자 하거나 혹은 제게 부탁을 해야 할 일이 있으시다면, 지금 당장 말씀을 해 주시기 바랍니다. 모든 건 때가 있는 법입니다. 이대로 제가 밖으로 나가게 되면 두 번 다시 그때는 돌아오지 않을 겁니다."

기묘한 협박이었다.

하지만 또 더욱 기묘한 것은 그 설벽린의 기묘한 협박이 왠지 공동파 장로들에게 먹히는 것 같다는 점이었다.

장로들은 심각한 눈빛으로 서로를 돌아보며 나지막하게 의견을 나누기 시작했다.

잠시 기다리던 설벽린이 활짝 웃으며 말했다.

"좋습니다. 그럼 저는 이만 물러나겠습니다. 만나 뵙게 되어 영광이었습니다."

설벽린은 자리에서 일어났다.

만약 왕 대인이 보았더라면 '또 이 자식이…….' 하면서 눈살을 찌푸렸을지도 몰랐다.

설벽린은 장로들을 향해 정중하게 인사한 후 곧바로 몸을 돌려 대청을 빠져나갔다.

"아니, 잠깐만요! 설 대부!"

청호자가 당황하여 설벽린의 소매를 잡으며 말했다.

"조금만 더 기다려 봅시다. 뭔가 이야기가 나올 겁니다."

청호자가 다급하게 소곤거렸다.

참 묘한 일이었다. 조금 전까지만 하더라도 밖으로 나가자고 조르던 청호자가 그의 소매를 붙들며 잠시 기다리기를 종용했다.

"됐습니다. 이제 가죠."

설벽린은 그의 손을 뿌리치고 대청을 가로질러 문으로 향했다. 그가 문을 열기 위해 손을 뻗는 순간, 밖에서 누군가 먼저 문을 열었다.

한 명의 여도사가 다급하게 들어섰다. 설벽린과 그녀가 그대로 부딪칠 것처럼 마주 섰다.

"죄송⋯⋯."

고개를 숙이려던 여도사가 움찔거리며 한 걸음 뒤로 물러났다. 여도사의 얼굴을 본 설벽린도 입을 쩍 벌린 채 아무 말도 하지 못했다.

"무량수불. 무량수불⋯⋯."

여도사가 떨리는 목소리로 연신 도호를 외웠다.

설벽린도 떨리는 눈빛으로 그녀의 얼굴을 바라보았다.

이제는 서른 즈음의 그녀였지만, 달라진 건 하나도 없었다. 여전히 그녀는 꽃처럼 아름답고 사슴처럼 연약하며 도자기처럼 우아했다.

"군옥⋯⋯."

설벽린은 조심스레 그녀의 이름을 불렀다.

"군옥."

그랬다. 바로 이 여도사가 설벽린의 정혼자였던 위군옥이었다.

3. 위군옥(魏君玉)

다른 성시와 마찬가지로 서안에도 여러 호족들이 있었다.

그 지역에서 수백 년 터를 닦으며 살아온 부자들을 호족이라고 한다면, 서안 북쪽에 자리 잡고 있는 위씨가문(魏氏家門)은 그런 호족 중에서도 손꼽히는 호족이었다.

당대 가주인 위성흔(魏成昕)은 육대 독자였고, 그 밑으로 큰딸 하나와 늦둥이 아들 하나가 있었다.

늦둥이 아들의 이름은 위온립(魏溫立)으로, 스스로 강해지고자 가족의 반대를 무릅쓰고 태극천맹이 운영하는 백팔연단관(百八練丹館)의 수련생이 되었다.

그는 이후 착실하게 성장하여 현재 태극천맹에서 나름대로의 영역을 구축하며 살아가고 있었다.

큰딸인 위군옥은 비록 무공은 익히지 않았으나 무림의 자제들과 교류하기를 즐겨 했다. 그래서 무림십오군영

(武林十五群英)과 같은 무림의 젊은 영웅들과 교우를 쌓으며 나날을 보냈다.

그런 위군옥이 설벽린을 알게 된 건 역시 갑작스레 설 대부의 명성이 서안 전체를 뒤덮기 시작했기 때문이었다.

그녀는 서안에 입성한 지 불과 일 년도 안 되어 그 어떤 서안의 유명 인사보다도 더 유명해진 그가 어떤 인물인지 궁금해졌다. 그리고 그 호기심을 풀 유일한 방법은 직접 설 대부를 만나는 것뿐이었다.

설 대부를 만나는 건 그리 어렵지 않았다. 설 대부의 장원은 매일같이 온갖 물건들을 팔기 위해 모여든 사람들로 장사진을 이뤘으며, 또 맞은편 문에는 온갖 물건들을 사기 위해 모여든 사람들로 붐비고 있었으니까.

위군옥 역시 그 줄에 서서 자신의 차례를 기다리기만 하면 되었다.

이윽고 차례가 되어 설 대부와 대면한 그녀는 바로 그 순간 사랑에 빠졌다.

자신보다 더 아름다운 사내. 솜사탕처럼 부드럽고 빙당호로처럼 달콤한 언변을 구사할 줄 아는 사내.

여인이 원하는 게 무엇인지 금세 알아차리고, 여인이 필요한 걸 즉시 대령할 줄 아는 사내.

그런 사내에게 빠지지 않을 여인이 어디 있겠는가.

하지만 위군옥과는 달리 설벽린은 쉽게 사랑에 빠지지 않았다.

설벽린은 여인에 관해 전문가라고 할 수 있었다. 비록 여인의 마음을 가지고 놀거나 육체를 희롱하며 순정을 농락하는 그런 못된 색마까지는 아니었지만, 쉽게 사랑을 주고 정을 주는 인물은 절대 아니었다.

그는 위군옥이 사천의 명문가인 위씨가문의 딸임을 알고 그에 걸맞게 정중한 대접을 했다. 또한 적당히 그녀를 사랑하는 척하고, 적당히 그녀의 몸을 어루만져 주었다.

스스로 '나와 잠자리를 가진 여인은 내 노예가 된다'라는 말을 만들어 낼 정도로 설 대부는 여인의 몸을 제대로 다룰 줄 알았다.

그때까지 사내의 몸을 몰랐던 위군옥은 금세 설 대부의 포로가 되었고, 이후 설 대부의 뜻대로 부친을 졸라 위씨가문의 재산을 그에게 투자하게 했다.

그렇게 반년이 흘렀다.

처음에는 사업을 위해 위군옥을 사랑하는 척했던 설벽린은 그렇게 반년이라는 시간을 함께 보내면서 자신도 모르게 그녀를 진심으로 사랑하게 되었다.

위군옥은 설벽린에게 헌신적이었다. 설벽린이 원하는 모든 것을 주었다. 그러면서도 위군옥은 현명하고 박학다식했다.

그녀가 가끔씩 건네는 조언은 설벽린의 어느새 좁아 든 시야를 트이게 했다. 그녀의 박학다식함은 설벽린의 부족한 지식을 충분히 메워 주었다.

심지어 몸의 궁합도 딱 맞았으며, 정신적인 궁합도 딱 맞아떨어졌다. 그야말로 천생연분이라는 말이 제일 잘 어울리는 한 쌍이었다.

설벽린은 마음을 다해 위군옥에게 청혼했다.

그녀는 감격에 겨워 눈물을 흘렸고 이후, 두 사람은 서로의 정혼자가 되어 혼인 날짜만을 기다리고 있었다.

저 화군악과 강만리가 느닷없이 서안에 나타나서 모든 것을 망쳐 놓기 전까지는.

설벽린은 화군악과 강만리에 의해 자신이 무림오적의 한 명임을 자각했다. 더 이상 설 대부라는 이름으로 세상을 살아갈 수 없음을 확인했다.

그래서 그는 서안에서 벌인 모든 사업을 접고 강호에 나서려 했다. 재산 정리는 문제가 되지 않았다. 조금 손해를 보더라도 다시 벌면 되는 일이었다.

하지만 위군옥은 달랐다.

그녀는 사업처럼 쉽게 접거나 재산처럼 조금 손해를 보고 정리할 수 있는 존재가 아니었다.

무엇보다 그녀와는 마음을 터놓고 이야기를 나눠야 했다.

그녀까지 함께 강호에 나서려면, 저 태극천맹과 오대가문에 맞서 싸우려면 반드시 그녀의 결연한 의지가 필요했다. 강만리의 예예나 화군악의 정소흔이나 장예추의 당혜혜나 모두 그런 과정을 겪고서 부부가 되었다.

설벽린은 위군옥에게 솔직하게 이야기를 했다. 자신이 어떻게 태어나고 어떻게 성장했으며, 또 지금의 자신이 어떤 인물인지 이야기했다. 그리고 왜 도망치듯 서안을 떠나야 하는지도 설명했다.

이야기를 듣는 내내 위군옥의 눈동자는 방황했고, 안색은 창백했으며 입술은 부들부들 떨었다. 특히 설벽린이 태극천맹과 오대가문에 맞서 싸울 작정이라는 말에 그녀는 거의 울 듯한 얼굴이 되었다.

게서 설벽린은 포기했다.

설벽린 역시 그녀의 하나밖에 없는 동생이 태극천맹의 일원임을 익히 잘 알고 있었다. 또한 그녀가 얼마나 동생을 아끼고 사랑하는지도 잘 알고 있었다.

그런 위군옥에게 동생을 외면하면서까지 자신을 따라오라고 할 엄두가 나지 않았다.

"미안하다."

설벽린은 뒷이야기를 생략한 채 그렇게 말하고 자리에서 일어났다.

위군옥이 깜짝 놀라며 손을 뻗어 그를 잡으려 했지만

거기까지였다. 결국 그녀는 설벽린을 잡지 못했고, 설벽
린은 그렇게 뒤도 돌아보지 않은 채 서안을 떠나 화군악
이 기다리고 있는 악양으로 향했다.

그게 마지막이었다.

* * *

설벽린과 위군옥은 혼원궁에서 나와 그녀가 거처하는
조그만 암자로 발길을 옮겼다. 한참 숲길을 걷다 보니 울
타리로 경계를 친 구역이 나타났다.

"이곳은 금남(禁男)의 구역이랍니다. 도고(道姑)들이
모인 거처이거든요."

위군옥은 조금은 발랄해진 목소리로 그렇게 설명했다.

설벽린이 입을 열다가 가래가 낀 듯 거친 목소리에 깜
짝 놀라 재빨리 헛기침을 하며 목청을 다듬었다.

"허험. 그럼 나도 들어가면 안 되는 게 아닐까?"

"괜찮아요. 벽운 장로께서 허락해 주셨으니까요."

위군옥은 미소를 지으며 안내했다.

울타리 안쪽으로 들어서자 공기부터 달라지는 것 같았
다.

여인들의 냄새, 향기. 그런 것들이 꽃밭의 향기처럼 은
은하게 맴돌고 있었다.

그곳에는 이십여 채의 암자가 옹기종기 모여 있었다. 그리고 십여 명의 여도사들이 모여서 앞마당에 꾸며진 작은 텃밭을 가꾸고 있었다.

그녀들은 난데없는 설벽린의 등장에 깜짝 놀라면서도 신기하고 반가워하는 표정으로 설벽린을 지켜보았다. 몇몇 젊은 도고가 위군옥을 향해 묻기도 했다.

"설마 정혼자는 아니지, 월령(月玲)?"

도고들이 까르르 웃었다.

비록 도를 닦는 도사들이라고는 하더라도 엄연히 여인들, 그녀들의 웃음소리는 구슬처럼 맑고 낭랑하여 설벽린의 헝클어진 기분을 깨끗하게 씻겨 주었다.

"아니에요, 언니들. 본파의 귀한 손님이랍니다."

위군옥도 웃으며 말했다. 도고 한 명이 눈을 흘기며 말을 받았다.

"본파의 귀한 손님을 왜 월령이 안내하지? 아무리 봐도 수상한데."

"나중에 벽운 장로나 청호 사숙께 여쭤보세요."

위군옥은 그렇게 말을 남기고 빠르게 걸음을 옮겼다. 설벽린은 도고들과 눈인사를 하며 그 자리를 떴다.

위군옥의 암자는 이 금남의 구역에서도 제일 깊은 곳에 있었다. 그녀는 암자의 문을 열며 미안해했다.

"누추해요. 그리고 두 사람이 함께 사용하는 방이라 조금 번잡하고요."

"좋은데."

설벽린은 방에 들어서며 무심코 코를 킁킁거렸다. 은은하게 풍기는 향냄새가 마음을 차분하게 가라앉혀 주었다. 그 향냄새 사이로 여인 특유의 향기와 지분 냄새도 섞여 있는 걸 설벽린의 코는 놓치지 않았다.

"이쪽으로 앉으세요."

위군옥은 차탁을 내주며 말했다. 설벽린은 차탁에 앉아서 방을 둘러보았다.

사방 다섯 평 정도 되는 좁은 방이었다. 창을 가운데 두고 침상이 하나씩 좌우로 있었고, 그 발밑 쪽으로 옷과 이불을 챙길 수 있는 장이 하나씩 있었다.

그리고 방 중앙으로 두 개의 차탁과 조그마한 탁자가 놓여 있는, 아주 단출한 구조의 방이었다.

그렇게 설벽린이 방을 구경하고 있는 동안 위군옥은 조심스레 그의 찻잔에 차를 따랐다. 이러고 있으니 몇 년 전 서안 시절이 떠올랐다.

그때도 이렇게 한적하고 고즈넉한 기분을 느낀 적이 있던가. 이렇게 평화로운 시간을 보낸 적이 있던가.

'기억이 나지를 않네.'

설벽린은 그렇게 생각하며 위군옥을 바라보았다.

묻고 싶은 건 많았다. 궁금한 것도 많았다.

잘 지냈는지, 어떻게 공동파의 도고가 되었는지, 동생은 어떤지 그녀의 모든 것이 궁금하고 알고 싶었다. 왜 나를 찾았는지도 묻고 싶었다.

하지만 설벽린의 입에서는 그의 내심과 전혀 다른 말이 흘러나왔다.

"왜 공동파의 장로들이 나를 환영하지? 당신이 날 찾는 이유와 연관이 있는 건가? 그리고 며칠 전 이곳을 찾았던 소년과도 관련이 있고?"

차가울 정도로 무심한 목소리에 위군옥은 저도 모르게 움찔거렸다.

그녀는 머뭇거리다가 힘겹게 입을 열었다.

"맞아요. 다 연관이 있어요."

"으음, 역시."

"정말 예전과 달라지신 게 아무것도 없네요. 추측이나 감은 더 날카롭고 매서워지신 것 같아요."

"버티고 살아남아야 했으니까."

설벽린은 차 한 모금을 마시고 내려놓았다.

평량현의 다관에서 마신 차와는 비교가 되지 않을 정도로 맛이 없었다. 하지만 지금 설벽린에게는 그 맛이 전혀 중요하지 않았다.

"나름대로 꽤 고생했거든. 적은 무시무시하게 강하고, 나는 눈물이 나올 정도로 약하니까. 악착같이, 그리고 끈

질기게 버텼지. 그러다 보니 육감이나 본능이라는 게 예전보다 더 발달했을 거야."

"그렇군요. 당신도 정말 수고하셨어요."

위군옥은 부드러운 목소리로 위로했다.

설벽린은 너무나 그립고 안타까운 나머지 하마터면 그녀를 와락 껴안을 뻔했다. 그동안 이 부드럽고 온화한 미소와 언제나 그의 힘이 되어 주는 목소리를 까맣게 잊고 있었던 것이다.

하지만 설벽린은 차 한 모금을 다시 마시는 것으로 그 격한 감정을 억눌렀다. 그리고 조금 더 가라앉은 목소리로 물었다.

"내게 원하는 건?"

"미안해요."

위군옥은 사과부터 했다.

"며칠 전 그 무시무시한 소년은 장문인과 장로 두 명을 단 일격에 해치웠어요. 그리고 보란 듯이 혼원궁을 절반이나 붕괴시켰고요. 단 한 번의 손가락질만으로요."

'으음. 역시 위천옥에게 장문인이 당했구나. 거기에 장로 둘까지라…… 응? 아, 그렇구나!'

설벽린은 그제야 비로소 위천옥을 처음 만났을 때 왜 그 이름이 낯설게 들리지 않았는지 이제야 깨닫게 되었다.

'위천옥, 위군옥…… 공교롭게도 마치 자매 같은 이름이다.'

물론 그럴 리는 없었다. 위군옥은 서안 호족의 딸이고, 위천옥은 유령교주의 손자이니까.

'하기야 동명이인도 많은 무림에서 이름 한 자 다른 게 뭐 대단한 건 아니지.'

내심 그렇게 중얼거리던 설벽린은 문득 의아한 생각이 들어 물었다.

"장문인이 살해당했는데 왜 그 자리에서 복수하지 않은 거지?"

"장문인의 유언이었거든요."

위군옥은 눈가에 눈물을 보이며 말했다.

"무슨 일이 있더라도 공동파는 절대 저 소년과 싸우지 않는다. 이십 년의 세월 동안 봉문(封門)하라. 장문인께서는 돌아가시기 직전, 모든 기력을 다 짜내어 그 두 가지 유언을 남기셨어요. 그리고 벽운 장로께서는 그 유언을 받아들인다고 하셨고요."

설벽린은 고개를 끄덕였다. 장문인이 그렇게 유언을 남긴 이유를 충분히 알 것 같았다.

'최소한 절반 이상은 죽을 테니까.'

공동파의 모든 도사들이 덤벼들었다면 어쩌면 위천옥을 죽이고 복수에 성공할지도 몰랐다. 하지만 그러기 위해서는 적어도 절반 이상의 도사들을 잃어야 했다.

위천옥과 손속을 겨룬 장문인은 본능적으로 그 사실을 알았을 것이다. 그래서 공동파 제자들의 목숨을 구하고 공동파가 괴멸되지 않도록 그런 유언을 남겼던 것이리라.

그리고 이십 년 동안 봉문하라는 건 그 세월 동안 위천옥을 꺾을 수 있도록 힘을 키우라는 뜻이리라.

'위천옥도 그런 속내를 알고 코웃음을 치면서 혼천궁을 무너뜨렸겠지. 어디 덤벼 볼 테면 얼마든지 덤벼 봐라, 하고 말이지.'

설벽린이 그런 생각을 하고 있을 때 위군옥은 한숨을 쉬며 다시 입을 열었다.

"모든 게 제 잘못이에요. 제가 그만 엉뚱한 소리를 하는 바람에."

설벽린은 차분하게 말했다.

"모든 걸 이야기해 봐. 들어 줄 시간은 충분하니까."

7장.
복수의 일념(一念)

그는 위군옥뿐만 아니라
자신이 사귀다가 걷어찼던 수많은 여인에게 사과하고 반성했다.
앞으로는 헤어질 때도 상대에게 상처가 남지 않게
제대로 헤어져야겠다고 다짐했다.

1. 총회(總會)

"복수하지 말라니, 어떻게 그런 유언을 따를 수가 있겠습니까!"

비분강개(悲憤慷慨)한 목소리가 혼원궁 대청에 쩌렁쩌렁 울려 퍼졌다. 대청에 좌정(坐定)한 이백여 명의 도사들 중 눈물을 흘리지 않는 이가 없었다.

"제자는 도저히 그리하지 못하겠습니다! 반드시 놈을 뒤쫓아서 장문인과 두 장로를 시해한 죄를 묻겠습니다!"

다시 한번 울분 가득한 목소리가 터져 나왔다. 도사들이 저마다 고함을 지르며 그 목소리에 호응했다. 이곳 대청에 모인 모든 도사들은 한마음으로 복수를 원했다.

하지만 장로들은 달랐다.

"왜 장문인의 마지막 뜻을 이해하지 못하느냐?"

벽운 장로가 조용히 물었다.

그의 나지막한 음성은 사람들의 마음을 차분하게 가라앉히고 평온케 하는 묘한 마력이 있었다.

"장문인은 본파의 멸문을 막기 위해서, 본파의 제자들이 무참하게 죽지 않게 하려고 그런 두 가지 유언을 남긴 것이다. 왜 그 절절한 마음을 이해하지 못하는 것이냐? 아니, 알면서도 지금 그 엄연한 사실을 외면하고 있는 것이냐?"

누구 하나 대답하는 이가 없었다.

사실 장문인과 두 장로가 그 소년의 일격에 목숨을 잃는 광경을 목도한 사람은 그리 많지 않았다.

마침 그곳에 있던 십여 명의 장로들과 소년을 데리고 온 젊은 도사들, 그리고 혼원궁 주변에 있던 이십여 명의 도사들이 전부였다.

지금 저렇게 비분강개하여 소리치는 청강자(靑江子)는 그 자리에 없었다. 그는 이미 인간의 경지를 넘어 괴물이 된 소년의 무위를 직접 견식하지 못했다.

그래서 장로들과 몇몇 제자들의 행동을 전혀 이해하지 못하고 있었다. 또 그런 이유로 그가 지금 이렇게 거친 언사로 항의하고 있는 것이었다.

"놈이 그렇게 강하답니까? 본파의 삼백 제자들을 모조리 죽일 수 있답니까? 인간이 아니라 괴물이랍니까?"

그는 시뻘겋게 달아오른 눈으로 벽운 장로를 쏘아보며 울부짖듯 그렇게 물었다. 그에 벽운 장로는 조용히 고개를 끄덕이며 대답했다.

"그렇다."

청강자의 눈에 불신의 빛이 가득 찼다. 벽운 장로가 계속해서 말을 이어 나갔다.

"확실히 그 아이는 노도가 본 그 어떤 무림 고수보다 강하다. 정사대전 당시 겪었던 사마외도의 고수들보다, 오대가문의 가주들보다, 태극천맹의 여러 노기인들보다 훨씬 강했지. 그렇지 않고서야 어찌 우리의 장문인이 단 일초도 버티지 못하고 목숨을 잃었겠는가?"

"그, 그야…… 독(毒)을 사용했을지 누가 압니까? 암기는 또 어떻습니까? 제자는 놈에게 장문인이 당했다는 사실을 도저히 믿을 수가 없습니다!"

"내가 바로 곁에서 지켜보았다. 설마 청강 너는 내 눈을 믿지 못한다는 것이냐?"

"그, 그건 아닙니다만……."

"나와 함께 지켜본 장로들이 열 명이 넘는다. 그들의 이목을 믿지 못하겠다는 게냐?"

청강자는 더 이상 입을 열지 못했다. 벽운 장로는 잠시 청강자와 다른 도사들을 둘러보다가 다시 차분한 어조로 말을 이어 나갔다.

"만약 그 자리에서 그 아이에게 복수하려 했다면 적어도 본파 절반 이상의 전력을 잃었을 것이다. 장로 대부분과 청자배(靑字輩) 제자들도 절반은 잃겠지. 그 남은 전력으로 공동파를 유지할 수 있다고 생각하느냐?"

청강자는 고개를 숙였다. 아직도 불복(不服)의 표정은 남아 있지만 그래도 더는 쉽게 항변하지 않았다.

"당시 장문인의 유언은 참으로 시의적절하고 현명하기 이를 데 없었다. 분노와 충격으로 거의 반쯤 정신이 나가 있던 나를, 온전하게 제정신으로 돌려놓을 정도의 충격적인 유언이었지. 그리고 나는 장문인의 유언을 시행하겠다고 맹세했다. 그러니 더 이상 그 일에 대해서는 왈가왈부하지 않도록 하자."

벽운 장로는 그것으로 이 총회를 끝내려 했다.

하지만 이번에는 장로 측에서 말이 흘러나왔다.

"그러나 이대로 복수를 단념할 수는 없지 않겠습니까?"

벽운 장로는 소리 난 곳을 돌아보고는 가볍게 눈살을 찌푸렸다.

의외로 언제나 침착하고 공정하며 정대하여 뭇 제자들의 존경을 받는 벽공진인(碧空眞人)의 발언이었다. 벽공진인은 계속해서 말을 이었다.

"장문인의 유언은 존중하겠습니다. 다만 유언은 유언이고, 복수는 복수가 아닐까 해서 드리는 말씀입니다."

"이해가 가지 않네, 벽공. 이 우둔한 사람이 이해할 수 있도록 자세히 풀어서 설명해 주게."

"간단합니다. 장문인의 유언은 우리를 지키기 위한 유언이 아니겠습니까? 행여 우리가 직접 복수에 나섰다가 그 소년에게 목숨을 잃지 않을까 저어해서 말입니다."

"그렇지."

"그렇다면 우리가 아닌 외인이 소년을 죽인다면, 그건 유언과 상관없는 일이 되지 않을까 생각합니다만."

"허어. 그럴 수도 있겠군."

벽운 장로는 벽공 장로의 말이 그럴듯하다고 생각했다.

하지만 그렇게 생각하지 않는 사람들도 있었다. 대청에 좌정한 도사들 중 누군가가 손을 들며 말했다.

"그건 아니라고 생각합니다."

역시 청자배 항렬의 제자로, 강직한 성품에 출중한 무공을 지니고 있어서 차차기 장문인 후보감으로 인정받고 있는 청수자(靑水子)였다.

그는 만인의 시선을 받는 와중에도 당당한 자세로 자신의 생각을 이야기했다.

"아무리 장문인의 유언이 있다 한들, 복수는 어디까지나 우리의 몫이라고 생각합니다. 장문인을 살해하고 두 분 장로의 목숨까지 앗아 간 놈입니다. 그 복수를 우리가 하지 않고 타인의 힘을 빌려 처리한다면 앞으로 우리 공동파는 강호에서 얼굴을 들지 못하고 다니게 될 겁니다."

그의 말에 동의하는 사람들이 꽤 많은 듯 대청의 사람들이 웅성거리기 시작했다.

그때였다.

"지금은?"

벽공 장로가 불쑥 물었다. 청수자는 무슨 의미인지 몰라 어리둥절한 표정을 지으며 되물었다.

"지금은, 이라니요?"

"지금은 강호에서 떳떳하게 얼굴을 들고 다니느냐 하는 질문이네."

일순 청수자의 얼굴이 굳어졌다.

그렇지 않다는 걸 그도 익히 잘 알고 있었기 때문이었다. 이 공동산 주변 오백여 리 밖으로는 되도록 출입을 하지 않는 게 요즘 공동파 제자들의 근황이었다.

청수자가 입술을 깨문 가운데 벽공 장로가 천천히 입을 열었다.

"힘이 부족하다고 복수를 포기하는 건 삼류의 행동이겠지. 힘이 부족하니까 힘을 길러 복수하겠다는 건 이류의 사고방식인 게야. 내 힘이 부족하니까 모든 방법을 다 동원해서, 내게 쏟아질 수치와 모멸감, 비아냥 정도는 모조리 감수하더라도 반드시 복수하겠다. 이게 진정한 복수의 일념이 아닐까 싶은데."

벽공 장로는 게서 말을 끊고 대청을 둘러보았다. 그의 말에 토를 다는 사람은 아무도 없었다. 벽공 장로는 희미하게 고개를 끄덕이며 말을 이었다.

"그래서 제안하는 것이야. 그깟 강호의 손가락질과 오명(汚名)? 그들의 비아냥과 비웃음? 정의와 대의? 웃기지 말라 하게. 그딴 것 다 필요 없네. 그런 거 내가 다 뒤집어쓰겠네. 비명에 돌아가신 장문인과 장로들의 복수를 할 수만 있다면 말이지."

벽공 장로의 평소답지 않은 절절한 음성에 대청의 분위기는 숙연해졌다. 청수자도 청강자도 다들 고개를 숙인 채 묵묵히 그의 이야기를 들었다.

벽공 장로는 더 이상 할 말이 없다는 듯 입을 다물었다.

그러자 이번에는 벽운 장로가 조금 전부터 떠오른 생각이 있었다는 듯이 입을 열었다.

"자네 말이 맞네. 가장 중요한 건 복수이지, 그걸 누구 손으로 하느냐는 문제는 지엽적인 일에 불과하네. 하지만 말일세. 자네도 그 소년의 무위를 직접 보지 않았나? 천하의 어느 누가 그런 가공할 만한 무위를 지닌 소년을 죽일 수 있겠는가?"

"찾으면 됩니다."

벽공 장로는 평소처럼 담담한 어조로 말했다.

"우리는 앞으로 이십 년 동안 봉문을 해야 합니다. 그 이십 년 동안 안으로는 복수의 칼을 갈며 수련하고, 밖으로는 소년을 죽일 만한 고수를 찾는 것입니다."

"흠."

벽운 장로는 턱수염을 쓰다듬으며 벽공 장로의 말에 귀를 기울였다.

"삼대 살수 조직을 동원해도 상관없을 겁니다. 태극천맹이나 오대가문, 아니면 구파일방의 도움을 받아도 됩니다. 어떻게든 소년을 상대할 수 있는 고수를 찾는 겁니다. 설마 이십 년, 그 안에 찾지 못하겠습니까?"

"만약 찾지 못한다면요?"

문득 청강자가 소리 높여 물었다. 벽공 장로는 여전히 담담한 어조로 대답했다.

"이십 년이 흘러 봉문이 풀렸으니 그때는 우리가 소년을 해치우면 되지 않겠느냐?"

"아……."

"그러니 너희들은 모든 분노와 증오, 적개심을 담아 무공 수련에 전력을 기울이도록 하라."

"하지만 누가 강호로 나가서 그만한 고수를 찾는답니까? 안 그래도 우리는 평소 강호 출입이 뜸해서 별다른 인맥도 없지 않습니까?"

좌정한 도사들 중 누군가가 소리쳤다. 그러자 또 다른 도사가 곧바로 말을 받아 소리쳤다.

"강호의 대소사에 정통하고 인맥이 넓으며 수단이 좋은 자가 필요합니다! 뛰어난 언변으로 상대를 설득할 수 있는 능력이 있어야 합니다! 그런 자가 우리 중에 누가 있겠습니까?"

도사의 지적은 정확했다.

공동파가 퇴락하면서 공동파 도사들은 강호 출입을 꺼렸다. 괜히 무림인들의 비웃음을 사거나 비아냥을 듣게 될지도 모른다는 불안감 때문이었다.

좀 더 강해지면, 지금보다 두 배만 더 강해지면 그때 떳떳하고 당당하게 강호에 나설 것이다.

대부분의 제자들은 그런 생각으로 무공 수련에 열중했고, 또 그렇게 수련을 하다 보니 더욱더 강호 출입이 뜸해지게 되었다.

그런 연유로 공동파 도사들 중에서는 강호의 일에 정통하고 인맥이 넓으며 언변까지 뛰어난 이가 전혀 없다고 해도 과언이 아니었다.

사람들이 침묵을 지키고 장로들조차 살짝 난감한 표정을 지을 때였다.

"아!"

대청의 구석진 곳에서 젊은 도고의 탄성이 들려왔다. 일순 수백 명의 시선이 일제히 그곳으로 쏠렸다.

아름다운 용모의 도고가 얼굴을 새빨갛게 물들인 채 앉아 있었다.

"무슨 일이냐?"

벽운 장로가 부드럽게 물었다. 도고는 황급히 고개를 숙이며 말했다.

"아닙니다. 죄송합니다."

"아니다. 할 말이 있으면 어려워하지 말고 이야기해도 괜찮다. 어차피 모든 제자의 의견을 듣기 위해서 이런 자리를 마련한 게 아니겠느냐?"

벽운 장로가 미소를 머금으며 그렇게 말하자 도고는 조심스럽게 입을 열었다.

"제자가 마침 그러한 인물을 알고 있어서, 저도 모르게 탄성을 내질렀습니다."

일순 벽운 장로의 눈이 휘둥그레졌다.

"호오, 그런 인물을 알고 있느냐?"

"네. 속세에 있을 때 잠시 인연이 닿아서 알게 되었습니다. 확실히 강호의 일에 정통하고 인맥과 발이 넓으며 언변도 매우 뛰어납니다. 단지……."

"단지라면?"

"……아쉽게도 지금 그가 어디에 있는지 전혀 행적을

모릅니다."

"흠, 그의 별호나 특징이 있다면 사람들을 시켜 찾을
수 있지 않을까?"

"그는 서안에서 설 대부라고 불렸습니다."

도고의 대답에 일순 대청 안이 시끄러워졌다.

"서안의 설 대부라면 제자도 들은 바가 있습니다. 확실
히 재간이 많고, 인맥도 넓다고 들었습니다."

"제 친척이 그에게 많은 도움을 받았다면서 존경을 표
하더이다. 평소 약한 자와 가난한 자를 도와주는 걸 보면
심성도 나쁘지 않다고 생각합니다."

놀랍게도 이 공동파에서도 수년 전 서안을 떠들썩하게
만들었던 설 대부의 이야기를 들은 자들이 몇몇 있었다.
그들은 자신들이 아는 바를 소상하게 이야기했다.

젊은 도고는 그 이야기를 들으면서도 난처한 표정을 감
추지 못했다.

'그가 오대가문과 태극천맹을 상대로 싸우려 한다고 말
해야 하는데…….'

그건 조금 전 그녀가 '단지'라고 하면서 말하려 했던 이
야기였다. 하지만 이런 분위기 속에서는 도저히 꺼낼 수
없는 이야기이기도 했다.

설 대부로 인해 생겼던 약간의 소란이 가라앉았다. 이
야기를 모두 들은 벽운 장로가 고개를 끄덕이며 말했다.

"그럼 우선 그 설 대부라는 자를 찾게. 그리하여 그 소년을 상대할 수 있는 사람을 찾아 달라고 그에게 부탁하는 것이네. 한편으로 강호에 몇몇 재간 있는 제자들을 내보내 그들 또한 초절정의 고수를 찾는 것이야."

게서 말을 끊은 벽운 장로는 분기 가득한 눈빛으로 대청의 제자들을 일일이 돌아보았다. 그리고 절절한 목소리로 다시 말을 이어 나갔다.

"이렇게 밖으로는 이중, 삼중으로 최강의 살수를 찾아 고용하기로 하고, 안으로는 벽공의 말대로 본파의 모든 힘을 다 동원하여 실력을 쌓도록 만들겠네. 이십 년이 아니라 단 십 년 만에 봉문을 풀고 복수를 결행할 수 있도록 말일세. 내 장문인의 유해를 두고 맹세하겠네."

수백 제자들의 함성이 터졌다.

2. 설 대부를 지목한 이유

"이런, 이런……."

설벽린은 어처구니가 없다는 표정을 지었다. 긴 이야기를 마친 위군옥이 고개를 푹 숙이며 사과했다.

"죄송해요. 정말 죄송해요. 괜히 제가 당신을 언급하는 바람에 그만……."

"하아. 그런 게 아니다."

설벽린은 어디에서부터 이 멍청하고 바보 같은 이야기를 짚어 줘야 할지, 어떻게 토를 달고 딴죽을 걸지 고민했다.

공동산 깊은 산자락에서만 살다 보니까 사고방식이 단순해지고 어린아이처럼 순수해지는 걸까. 어떻게 이런 어이없는 결정을 내린 것일까.

먼저 설벽린이라는 인물을 차치하고 설 대부라는 존재에 대해서만 이야기하자.

서안의 설 대부는 관계, 상계, 무림계 가리지 않고 교분을 쌓고 친교를 다져 상당한 인맥을 보유한 건 사실이다.

또한 설 대부는 물건만 사고파는 게 아니라 아호(牙戶)처럼 중간에서 중개하기도 하고, 사람과 사람을 연결해 주는 역할도 했다.

그러니 어찌 생각해 보면 공동파에서 설 대부를 찾아서, 그로 하여금 위천옥을 상대한 최적의 고수를 찾게 하는 건 나름대로 타당해 보이기까지 했다.

하지만 공동파는 크게 간과하고 있는 게 있었다. 설 대부가 아니라, 설 대부 할아버지를 초빙한다고 하더라도 위천옥을 상대할 최적의 인물은 찾아 줄 수는 없었다.

생각해 보면 간단한 이치였다. 어떤 고수가 있어서 단

일격에 공동파 장문인과 두 명의 장로를 해치울 수 있는
지 떠올려 보면 되는 일이니까.

'물론 그런 생각을 하지 않은 건 아니겠지.'

설벽린은 내심 한숨을 쉬며 생각했다.

'최소한 벽운이나 벽공 장로들은 충분히 그런 생각을
하고도 남았을 거야. 본인들이 직접 위천옥의 무공을 견
식했다고 했으니까.'

그들 또한 천하를 이 잡듯이 뒤진다고 하더라도 위천옥
을 상대할 수 있는 고수는 찾을 수 없음을 잘 알고 있을
것이다.

그러나 그렇게 인정하고 복수의 기회를 봉인된 이십 년
이후로 넘긴다면, 저 분노와 증오와 복수심에 불타오르
는 일반 제자들을 도저히 진정시키지 못했을 것이다.

'그래서 그들을 달래고 시선을 분산시키려는 이유로
나, 설 대부를 지목했겠지.'

벽공 장로와 벽운 장로에 의해서, 복수하지 못하는 울
분과 분노를 표출할 곳이 없어서 그저 속만 부글부글 끓
을 뻔한 젊은 도사들에게는 새로운 목표가 생긴 셈이 되
었다.

그들은 공동산 아래로 내려가 각 지역의 다관이나 주루
에서 시간을 보내며 설 대부라는 자를 찾고 그에 대한 소
문을 얻으려 할 것이다.

그러면서 자신들 또한 장문인의 복수에 관해 일각이나마 힘을 보태고 있다며 자위할 수도 있고, 또 나름대로의 책임감도 느끼면서 죄책감까지 덜 수 있었다.

그야말로 일석삼조(一石三鳥), 아니 일석사조(一石四鳥)의 방안인 셈이었다.

'왜 그런 장로들의 속셈을 미처 헤아리지 못하는 게지? 역시 젊어서 그런 건가? 아니면 산속에서만 살아가다 보니 세상 물정 모르고 어리석게 변한 것일까?'

설벽린은 잠시 한숨을 내쉬었다.

위군옥의 이야기를 들어 보면 나름대로 깨어 있는 청자배 제자들도 있는 모양이었다. 청강자니 청수자니 하는 이들은 벽공 장로와 벽운 장로에게 전혀 거침없이 반론을 펼치며 하고픈 말을 다 했으니까.

'가만, 장로들에게 거침없이 제 할 말을 다 한다? 그러면서 이 정도 속셈을 전혀 눈치채지 못했다?'

설벽린은 고개를 갸웃거렸다.

어쩌면 청강자나 청수자도 장로들과 한통속일지 몰랐다. 그들끼리 사전에 모의하여 뭇 제자들을 안심시키고 달래는 방법을 연구했는지도 몰랐다.

그리고 우연찮게 위군옥이 설 대부라는 인물을 이야기했고, 그 덕분에 더욱더 쉽게 제자들을 안심시키게 된 것인지도 몰랐다.

'하아, 이것 참.'

설벽린은 머리를 긁적였다.

이거야말로 고래 싸움에 새우 등 터지는 격이라고나 할까. 괜한 공동파와 위천옥의 복수전에 설벽린이 말려든 꼴이 되고 말았다.

그렇다고 모든 것이 자신의 잘못이라고 자책하며 연신 사과하고 죄송스러워하는 위군옥에게 대고 이런저런 이야기를 늘어놓을 필요도 없었다.

어쩔 도리가 없었다. 이왕 일이 이렇게 된 거, 대충 눈치 보면서 장단이나 맞춰 주면 되는 것이다.

설벽린은 오랫동안 고민하다가 그렇게 결정을 내렸다. 한결 마음이 편해지고 흥분이 가라앉았다. 그렇게 여유를 되찾게 되자 이제는 위군옥의 신상이 더욱 궁금해졌다.

설벽린은 반쯤 식은 차를 마신 후 입을 열었다.

"그래, 어찌 된 거야?"

그는 위군옥을 바라보며 물었다.

"서안의 명성 자자한 호족의 여식이 갑자기 공동파의 도고라니, 무슨 일이 있었던 거지?"

"그야······."

위군옥은 말꼬리를 흐렸다. 설벽린의 안색이 살짝 변했다.

"역시 나 때문이야?"

그가 물었지만 위군옥은 대답하지 않았다. 설벽린은 고

개를 끄덕이며 한숨을 쉬었다.

"그렇군. 하기야 정혼자가 한밤중에 몰래 도망쳤으니, 난리가 나도 여러 번 난리가 났겠지."

빈민가나 하류층 사람들이야 애당초 정혼도 하지 않겠지만, 설령 정혼자가 있어서 어느 날 갑자기 도망치더라도 크게 문제가 되지 않았다.

그들은 혼인도 하지 않은 채 애를 낳기도 했고, 눈만 맞으면 어디에서든 뒹굴어도 뭐라고 하는 이도 없었다. 그래서 빈민가에는 언제나 애들이 득시글거렸다.

하지만 일반 여염집이나 위씨가문처럼 유명한 가문의 경우는 달랐다. 그들은 다른 어떤 것보다 체면을 중시했다. 자신의 체면을 생각해서 인맥을 쌓고 관계를 맺었다. 체면에 걸맞지 않은 상대는 아예 쳐다보지도 않았다.

그런데 자신의 딸과 정혼한 사내가 야반도주를 한 것이다. 다행히 투자한 돈은 돌려받을 수 있었지만, 그 돈보다 중요한 체면이 크게 손상되었다. 친구들과 주변 사람들의 시선을 감당할 수 없었다.

아마도 그래서 위군옥은 서안의 본가로 돌아가지 못했을 것이다. 그리고 앞으로 어떻게 해야 할지 고민하다가 이곳 공동파의 제자로 들어서게 된 것이리라.

아니나 다를까.

"처음에는 머리를 깎고 중이 되려 했어요."

위군옥은 나직한 목소리로 담담하게 이야기했다.

"하지만 알고 지내던 무림의 여동생이 말리더라고요. 차라리 중보다는 도사가 낫다면서, 그리고 이왕 도사가 되려면 역사가 유구하면서도 제자들이 그리 많지 않은 도가가 낫다면서 공동파를 소개해 줬어요."

"으음."

"마침 그녀는 공동파 장문인과 면식이 있는 사이였고, 덕분에 조금은 수월하게 제자가 될 수 있었죠."

"그럼 나와 헤어지고 곧바로 공동파에 입문한 거야?"

"뭐 반년 정도 지난 다음에요."

그녀는 담담하게 이야기했다. 하지만 설벽린은 가슴이 쓰라렸다. 그 반년 동안 그녀는 무슨 생각을 하며 어떻게 지냈을까.

화군악과 어울리고 강만리와 부대끼며 정신없이 살아온 설벽린과는 전혀 달랐을 것이다. 어느 순간부터 그녀를 까마득하게 잊고 살았던 설벽린은 스스로를 반성하고 질책했다.

'다 업보로 돌아오는 거다, 벽린아.'

그는 위군옥뿐만 아니라 자신이 사귀다가 걷어찼던 수많은 여인에게 사과하고 반성했다. 앞으로는 헤어질 때도 상대에게 상처가 남지 않게 제대로 헤어져야겠다고 다짐했다.

"이곳 생활은 어떻고?"

설벽린은 차를 따르며 물었다. 위군옥은 지금까지와는 달리 활짝 웃으며 대답했다

"좋아요. 정말 좋아요.

3. 의뢰금

그녀는 진심으로 웃으며 말을 이었다.

"이곳 생활이 제게 딱 맞는 것 같아요. 처음부터 왜 이런 산중생활을 하지 않았을까 후회할 정도로 좋아요. 언니, 동생들도 좋고, 또 장로들이나 사숙들은 물론 나이 어린 사형들도 잘 챙겨 주세요."

그녀가 말하는 모습에서 정말 만족하고 행복해하는 느낌이 묻어났다.

그래서였다. 설벽린도 약간의 부담감을 내려놓고 웃으며 말했다.

"하하. 그러고 보니 대부분의 사형, 사매들이 당신보다 나이가 어리겠군."

"그러니까요. 그게 한 가지 흠이라면 흠일 수 있겠네요."

그녀도 웃으며 말했다.

"하지만 그것도 재미있어요. 제 동생보다도 훨씬 어린

사형들이 어떻게든 웃어른 행세를 하려 하는 걸 보면 웃음이 나오기도 하고. 아, 그렇다고 못된 행세를 하려고 하는 건 아니에요."

"그렇겠지. 당신을 싫어하거나 미워할 사람은 세상에 없으니까."

"아휴, 무슨 또 그런 부끄러운 말씀을. 이제 저도 내일모레면 서른이라고요."

"허어. 벌써 그렇게 되었나? 정말 세월 빠르다. 참, 동생은 아직도 태극천맹의 일원이고?"

"네. 이번에 악양 지부로 발령을 받았다고 연락이 왔어요. 그래도 운이 좋았는지 아니면 기회가 잘 맞아떨어졌는지 당주로 부임한다 하더라고요."

"운이 아니라 실력인 거야. 너무 겸손한 것도 안 좋다고. 그건 그렇고 동생이 아직 어리잖아?"

"네. 이제 스물이에요."

"허어. 스무 살에 당주라니. 역시 백팔연단관 출신다운 출세군그래."

백팔연단관은 태극천맹에서 양질(良質)의 고급 무사를 키워 내기 위해 만들어진 집단이다.

대략 십대 초중반의 아이들이 엄격한 시험을 거쳐 입관한 후, 삼 년에서 오 년 정도의 수련을 통해 태극천맹의 각 지부나 조직들에 보내지게 된다.

정유도 그 백팔연단관 출신이고, 또 그 출신 중에서도 다섯 손가락 안에 드는 고속 승진을 하고 있는 인물이었다.

"가만있자, 악양이라고 했지?"

"네."

일순 설벽린의 눈썹이 꿈틀거렸다.

악양은 호광의 동정호에 가장 인접한 성시 중의 하나다. 또한 그곳에는 오대가문 중 하나인 금해가가 있었고, 한때 설벽린은 화군악을 도와 그 금해가를 난장판으로 만든 적도 있었다.

'이번에 예추와 군악이 보물을 판매하러 간 곳도 호광이었잖아?'

화군악과 장예추는 가는 김에 동정호에 들러서 참마봉 방의 노기인들을 섭외하겠다면서 유 노대까지 끌고 장원을 나섰다.

'설마 악양까지는 가지 않겠지. 행여라도 금해가와 부딪치게 되면 진짜 난감해지니까.'

설벽린은 그렇게 생각하며 화제를 돌렸다.

"좋아."

"네?"

위군옥이 살짝 눈을 치켜뜨며 설벽린을 쳐다보았다.

설벽린은 순간 옛 기억이 떠올랐다. 그가 가장 좋아하던 표정, 그 얼굴이었다. 그녀가 설벽린의 아랫도리를 문

채 눈만 살짝 들어 그를 바라보던 바로 그 얼굴.

"허험."

설벽린은 헛기침을 하며 정신을 가다듬고 다시 말했다.

"내가 그 일을 맡겠다는 뜻이야. 공동파를 대신하여 위천…… 아니, 그 소년을 죽일 만한 자를 찾아 주겠어."

"정말인가요?"

위군옥이 기뻐했다. 설벽린은 손을 저으며 말했다.

"대신 조건이 있어."

"네? 조건이라면……."

"내 몸값은 상당히 비싸거든."

"아아…… 네."

위군옥의 표정이 살짝 흐려졌다.

"그거야 공동파 장로들과 이야기할 문제이니까. 당신은 신경 쓰지 않아도 돼. 단지 장로들에게 가서 협상만 잘되면 내가 최대한 빨리 적임자를 찾아 준다고 전하면 돼."

"최대한 빨리라면 언제쯤이 되겠나요?"

* * *

"일 년의 유예 기간을 주십시오."

설벽린은 진지한 얼굴로 말했다.

조금 전과는 달리 그의 정면에는 다섯 명의 장로가 앉아 있었다. 벽운 장로와 벽공 장로를 위시한 이 다섯 명의 장로야말로 현재 장문인이 없는 공동파의 최고 결정권자들임이 분명했다.

"그 말, 신뢰할 수 있소?"

벽공 장로가 묻자 설벽린은 의아하다는 듯 되물었다.

"저를 신뢰하지 못한다면 왜 저를 섭외하려 하셨습니까?"

벽공 장로가 입을 다물었다. 설벽린은 차분한 어조로 계속해서 말을 이어 나갔다.

"저에 관한 이야기는 이미 들어 알고 계실 겁니다. 사실 저는 장사꾼입니다. 그리고 장사꾼의 가장 큰 덕목은 신뢰이기도 하죠. 신뢰를 쌓지 못한 장사꾼에게 두 번이나 거래를 하는 멍청한 손님은 없거든요. 그러니 제게 일을 맡기시려면 반드시 신뢰를 해 주셔야 합니다."

설벽린의 말에 다섯 장로들은 서로를 돌아보며 눈짓으로 의견을 나누었다. 굳이 말을 하지 않아도, 서로의 표정과 눈빛만으로 무슨 생각들을 하고 있는지 아는 모양이었다.

"좋소."

다시 벽공 장로가 입을 열었다. 아무래도 이번 협상은 벽공 장로가 맡은 모양이었다.

"월령에게 듣자 하니 금액에 대한 조건이 있다고 하시던데, 얼마나 원하시오?"

"얼마를 주실 수 있으십니까?"

"으음. 그건 설 대부께서 먼저 말씀하셔야 하지 않겠소?"

"아뇨, 이번 의뢰 금액만큼은 공동파 측에서 먼저 말씀하시는 게 옳은 일입니다. 제게 맡긴 일이 중요하다고 생각하시면 그에 걸맞은 액수를 말씀하실 것이고, 아니면 또 그에 걸맞은 금액을 이야기하실 테니까요."

"으음."

장로들은 다시 눈짓을 교환했다.

설벽린은 속으로 미소를 지었다.

아무래도 평생 이런 식의 협상을 해 본 적이 없는 장로들이었다. 아무리 나이가 많고 무공이 강하고 도력이 뛰어나다 할지라도 이 자리에서만큼은 벌거벗은 어린아이와 다를 바가 없었다.

그러니 설벽린의 밀고 당기는 협상술에 끌려다니는 건 너무나도 당연한 일이었다.

이윽고 벽공 장로가 다시 입을 열었다.

"하지만 큰 금액을 건넸을 때, 혹시라도 설 대부가 떼어먹거나 아니면 제대로 일을 성사하지 못할 경우 우리만 낭패를 보는 게 아니겠소?"

"그래서 착수금, 중도금, 잔금 등의 단어가 있는 겁니다."

설벽린은 차분한 어조로 설명했다.

"만약 이번 의뢰금이 만 냥이라고 한다면 착수금으로 이천 냥을 받습니다. 중도금은, 중간에 제가 진행 경과에 대해 보고하러 왔을 때 받는 겁니다. 삼천 냥 정도 되겠죠. 그리고 일을 완수했을 때 나머지 잔금 육천 냥을 받게 됩니다. 이 정도면 합리적이라고 생각하는데 어떠신지요?"

다시 장로들이 눈짓을 교환했다. 벽공 장로가 설벽린의 눈치를 살피며 입을 열었다.

"은자 만 냥이라는 액수를 먼저 꺼낸 걸 보니, 설 대부께서도 그 정도를 생각하고 있지 않나 싶구려."

"하하하."

설벽린은 무미건조하게 웃었다. 장로들의 표정이 살짝 일그러졌다. 설벽린은 벽공 장로를 비롯한 다섯 장로의 얼굴을 일일이 돌아보면서 물었다.

"설마 귀파의 장문인과 두 장로의 목숨값이 그 정도밖에 되지 않는다고 생각하십니까?"

"무엄하다!"

"어디서 감히!"

두 명의 장로가 벌컥 화를 내며 자리에서 일어났다. 당장이라도 설벽린을 때려잡을 기세였다.

하지만 설벽린은 전혀 두려워하지 않았다. 그는 외려 미소까지 지으면서 말을 이었다.

"두 분 장로께서는 장문인을 시해한 그 소년 앞에서도 이렇게 행동들을 하셨습니까?"

"이, 이놈이⋯⋯."

"정녕 죽고 싶으냐?"

자리를 박차고 일어선 장로들이 분노와 수치심을 견디지 못하고 부들부들 떨었다. 그들의 눈에서 불똥이 튀었다.

설벽린은 고개를 설레설레 흔들고는 한숨을 쉬며 말했다.

"이런, 이런. 상대가 못 되는 적에게는 꼬리를 말고, 상대가 안 되는 장사꾼에게는 이리 겁박을 주시다니. 이게 그 도교제일성지라 알려진 공동파의 현실이고, 민낯인 겁니까? 정말 실망했습니다."

"이, 이⋯⋯ 보자 보자 하니까! 죽어라!"

장로 한 명이 더는 참지 못하겠다는 듯이 일갈을 내지르며 손을 뻗었다. 그의 손에서 수십 년 공력의 가공할 장력이 뿜어져 나왔다.

하지만 바로 그때 벽운 장로가 입을 열었다.

"멈추시게."

일순 장로는 황급히 손목을 꺾었다.

그의 손에서 뿜어져 나온 장력은 설벽린의 귓가를 스치듯 지나며 암자의 벽을 강타했다.

쾅!

암자 전체가 뒤흔들리며 흙먼지가 우수수 쏟아졌다. 마치 커다란 지진이라도 일어난 듯했다.

"허어! 이게 무슨 짓인가, 우리가 청한 손님에게."

벽운 장로가 혀를 찼다. 일장을 날렸던 장로는 입술을 깨물며 고개를 숙였다.

하지만 죄송하다거나 잘못했다는 사과는 입에 올리지 않았다. 불끈 쥔 그의 두 주먹에 분한 기색이 고스란히 남아 있었다.

설벽린은 미동도 하지 않은 채 어깨에 내려앉은 먼지를 털어 내며 조용히 말했다.

"은자 오십만 냥. 그 이하로는 절대 이번 의뢰를 받지 않겠습니다."

장로들의 얼굴이 딱딱하게 굳어졌다.

8장.
은자 백만 냥

"걱정 근심도 없고, 누굴 죽여야 하는지 궁리할 것도 없고
어떻게 몸을 숨겨 적으로부터 달아나야 할지 걱정할 것도 없고……
마냥 행복하고 즐겁고 평화로운 것 같거든."

1. 피독주(避毒珠)

"다들 진정하고 자리에 앉아 주시게."

벽운 장로의 말에 엉거주춤 서 있던 두 명의 장로가 어색하게 헛기침을 하며 자리에 앉았다.

"평생을 참선하고 마음을 다스렸음에도 불구하고 겨우 이 정도의 도발에 넘어가시다니……. 그 반백 년의 마음 공부가 헛되다는 생각이 들지 않으신가?"

벽운 장로의 말은 나직했지만, 한없이 날카롭고 무거웠다. 두 장로는 고개를 푹 숙인 채 아무런 말도 하지 않았다.

벽운 장로는 잠시 그들을 바라보다가 벽공 장로를 돌아보며 말을 건넸다.

"마저 이야기하시게. 이번 협상은 벽공 형제께서 전적으로 맡고 계시니."

"감사합니다."

그렇게 인사한 벽공 장로는 다시 설벽린을 향해 사과했다.

"죄송하오. 이건 우리 공동파 전체의 잘못이오. 사과드리리다."

"괜찮습니다. 제가 일부러 도발한 잘못이 더 크니까요."

설벽린은 담담하게 말했다. 벽공 장로가 안 그래도 궁금하다는 듯 물었다.

"그럼 왜 그리 우리를 도발한 것이오?"

"제가 얼마나 대단한 사람인지 보여 드리고 싶었기 때문입니다."

"응? 그건 또 무슨 뜻이오?"

벽공 장로가 당황해했다.

자기 자신이 얼마나 대단한 사람인지 보여 주고 싶었다니, 벽공 장로에게는 애당초 이 설 대부라는 자의 사고방식 자체가 이해되지 않았다.

다른 장로들도, 심지어 조금 전 자리를 박차고 일어났던 두 명의 장로도 그게 무슨 말인가 싶어서 호기심 어린 눈빛으로 설벽린을 쏘아보았다.

설벽린은 천천히 입을 열었다.

"앞으로 저는 공동파를 대신하여 지금과 같은 협상을 수도 없이 하게 될 겁니다. 어쩌면 구파일방의 장문인을 만날 수도 있고, 또 어쩌면 오대가문이나 태극천맹의 수뇌부와 회합을 할지도 모릅니다. 심지어 사마외도의 고수들이나 살수 조직의 우두머리와도 협상하게 될지 모릅니다."

다섯 장로가 숨죽여 귀를 기울이는 가운데 설벽린은 계속해서 말을 이어 나갔다.

"그때마다 저는 지금보다 더한 압박감을 느낄 겁니다. 어쩌면 칼을 마주하고 대화해야 할 때도 있을 겁니다. 하지만 저는 그 어느 위험한 순간에도, 지금처럼 태연하고 담담하게 협상을 유지할 수가 있습니다. 저는 은자 오십만 냥, 그 가치를 충분히 할 수 있습니다."

이윽고 설벽린의 말이 끝났다. 다섯 장로는 이번에도 서로를 돌아보았다. 놀라고 당황하고 감탄한 눈빛들이 장로들의 사이를 오갔다.

무언의 대화는 제법 오래 지속되었다. 그 모습을 가만히 지켜보던 설벽린은 문득 뒤늦게 생각난 게 있었다. 순간 아차, 싶었다.

왜 그걸 이제야 떠올렸을까.

'어쩔 수 없지. 지금이라도 늦지 않았기를 바랄 수밖에.'

설벽린은 무안함을 감추려고 애써 미소를 지으며 입을
열었다.

"한 가지 제안이 있습니다."

장로들은 다시 그를 돌아보았다. 설벽린은 어느새 진지
해진 얼굴로 말했다.

"우선 마침 제게 귀한 물건이 있는데 한번 봐 주시겠습
니까?"

그는 소매춤에서 조그만 금합 하나를 꺼냈다. 장로들은
호기심 어린 눈빛으로 설벽린이 하는 행동을 가만히 지
켜보았다.

설벽린이 금합을 열자 그 안에는 조그만 무언가가 담긴
비단 보자기가 있었다. 다시 설벽린은 보자기를 풀자, 그
안에는 검은 보석이 박힌 반지 하나가 들어 있었다.

설벽린은 장로들을 보며 자랑스레 말했다.

"피독주가 박힌 반지입니다."

일순 공동파 장문인들의 입이 쩍 벌어졌다.

* * *

피독주는 말 그대로 독을 막아주는 특수한 효능을 지닌
보석이었다. 피독주를 착용하면 독에 중독이 되지 않고,
독충이나 독물들이 접근하지 않는다.

또한 피독주를 갈아서 먹으면 해독에 탁월한 효과를 볼 수 있었다.

그리고 일반적인 독충이나 독사에게 물렸을 때 피독주를 그 물린 부위에 피독주를 가져다 대면, 독이 피부 밖으로 흘러나와서 씻은 듯이 낫는 효능을 지녔다.

당연히 피독주의 가격은 야명주와 마찬가지로 가히 일개 성을 살 수 있을 정도로 비싸서, 부르는 게 값이라는 표현이 정확했다.

"진품이오?"

벽공 장로가 물었다. 설벽린은 쓴웃음을 흘렸다. 여기에서도 그런 소리를 들을 줄은 미처 몰랐다.

"진품입니다."

설벽린은 차분하게 말했다.

"밖에서 두꺼비나 독사, 혹은 오공(蜈蚣:지네)을 가져오시면 이게 진품인지 가품인지 직접 확인시켜 드리겠습니다."

장로들은 이내 서로를 돌아보았고 숨도 쉬지 않은 채 모두 고개를 끄덕였다. 순식간에 의견 일치를 본 것이다.

"잠깐만 기다리시게."

벽공 장로가 밖을 향해 소리쳤다.

"게 아무도 없느냐?"

기다렸다는 듯이 문밖에서 귀에 익은 목소리가 들려왔다.

"청호가 있습니다."

"가서 두꺼비나 독사, 혹은 오공을 잡아 오거라."

"네?"

"가서 두꺼비나 독사, 혹은 오공을 잡아 오란 말이다."

"아…… 네. 그리하겠습니다."

벽공 장로의 엉뚱한 명령에 놀라고 당황한 듯, 청호자
는 더듬거리는 대답을 남긴 채 자리를 떴다.

암자에는 잠시 침묵이 내려앉았다. 장로들은 저마다 호
기심과 탐욕이 공존하는 시선으로 탁자 위에 놓인 금합,
아니 반지를 내려다보았다.

설벽린은 이때다 싶어 입을 열었다.

"기다리는 동안 제가 왜 이 반지를 꺼냈는지, 잠시 설
명을 드리겠습니다."

장로들은 여전히 그 오묘하고 신비한 검은빛의 피독주
를 내려다보고 있었다.

"이 피독주가 진품이라면 가격이 어느 정도 할까요?"

설벽린이 묻자 벽공 장로는 건성으로 대답했다.

"으음. 이런 건 부르는 게 값이 아니겠소?"

"그건 그렇습니다만, 만약 벽공 장로께서 사신다면 얼
마에 사시겠습니까?"

"허어, 내가 이걸 산다?"

벽공 장로는 턱수염을 매만지다가 고개를 저었다.

"아니, 그만한 돈이 내게 없구려."

"얼마 정도 생각하셨는데요?"

"글쎄…… 백만 냥? 이백만 냥?"

벽공 장로는 순진하게 자신이 생각했던 금액에 대해 조금의 가감도 없이 말했다.

설벽린은 재차 쓴웃음을 흘렸다.

'누룩 돼지라면 오십만 냥 이상 부르지 않았을 거야.'

설벽린은 다시 정색하며 말했다.

"이걸 오십만 냥에 드리겠습니다."

"응?"

"그게 정말이오?"

장로들이 깜짝 놀랐다. 설벽린은 웃음기 없이 진지한 얼굴로 말했다.

"그러니까 제게 주셔야 할 의뢰금까지 합쳐서 모두 백만 냥에 드리겠습니다."

일순 장로들의 얼굴이 급변했다. 놀라고 기뻐하던 얼굴에서 환호의 빛이 사라지고 낙담한 표정이 스며들었다.

벽공 장로가 한숨을 쉬며 말했다.

"우리에게는 백만 냥이라는 거액의 현금이 없소."

"당연히 지금 당장 백만 냥을 다 달라는 건 아닙니다."

설벽린은 차분한 어조로 말했다.

"조금 전에 말씀드렸다시피 우선 착수비 십만 냥만 주

시면 됩니다. 그리고 일 년 후 제가 돌아와 중간보고를 하겠습니다. 그때까지 이 피독주를 제값 받고 파신다면, 충분히 제게 주실 중도금과 잔금이 마련될 겁니다. 아, 거기에 오십만 냥의 피독주 가격까지도요."

일순 장로들은 다시 서로의 얼굴을 확인했다.

이 피독주는 가격을 환산할 수 없는 보물이었다. 제대로 임자만 만나면 오십만 냥이 아니라 이백만 냥도 받아낼 수가 있었다.

아니, 최소한 백만 냥만 넘겨받을 수 있다면 괜찮았다. 의뢰금까지 포함하여 설벽린에게 줄 백만 냥을 제외하고 남은 건 모두 공동파의 몫이 되는 것이다.

이건 무조건 이익이 남는 장사였다.

장로들의 얼굴에 욕심의 빛이 일렁일 때, 벽운 장로가 문득 설벽린을 돌아보며 물었다.

"설 대부가 직접 팔면 더 큰 이익을 얻지 않겠소? 굳이 우리에게 이런 제안을 하는 이유가 궁금하오."

설벽린은 애매하게 웃었다.

설벽린은 사실 서안으로 가서 그 피독주를 팔 작정이었다. 가격은 대략 백만 냥 정도를 예상했고, 충분히 그 가격에 팔 자신이 있었다.

그러나 위천옥과 동선이 겹칠 수도 있게 되면서 그 계획은 백지처럼 지워 버렸다. 괜히 그 돈 벌려다가 자칫 천하에 둘도 없는 괴물과 마주칠 수도 있었다.

그런 구구절절한 이야기를 벽운 장로에게 할 수는 없었다. 또 어차피 백만 냥에 팔 생각을 한 거, 의뢰금에 피독주까지 해서 일부러 백만 냥을 맞췄다는 이야기도 굳이 할 필요가 없었다.

설벽린은 그저 애매한 미소를 짓다가 불쑥 입을 열었다.

"군옥…… 아니, 월령선자(月鈴仙子)가 속세에 있을 때, 상당히 큰 빚을 졌습니다. 그 빚을 갚는 거라 생각하시면 될 겁니다."

2. 작별 인사

사실 설벽린의 이야기는 말도 안 되는 소리였다.

아무리 큰 빚을 졌다고 하더라도 이렇게 피독주를 헐값에 넘기는 장사꾼이 어디 있겠는가.

하지만 장로들은 그렇게 생각하지 않았다.

"호오."

"무량수불, 무량수불."

장로들은 감탄했다.

조금 전 설벽린에게 일장을 날렸던 장로조차 진심으로 탄복하는 얼굴이었다. 그들은 속세의 빚을 잊지 않고 갚는 설벽린의 성품에 감명을 받은 듯 연신 도호를 외웠다.

그때 밖에서 청호자의 목소리가 들렸다.

"오공 한 마리를 잡아 왔습니다."

"잘했다. 가지고 들어오거라."

벽공 장로의 말에 청호자가 암자의 문을 열고 조심스레 들어섰다. 그의 손에 들린 손가락만 한 지네 한 마리가 힘차게 꿈틀거렸다.

지네를 건네받은 설벽린은 거침없이 제 손을 지네에게 내주었다.

"그게 무슨!"

청호자가 깜짝 놀랄 때, 발버둥 치던 지네는 그대로 설벽린의 손을 힘껏 깨물었다.

생각보다 훨씬 큰 고통이 밀려들었다. 이내 물린 곳이 부풀어 오르며, 꾹꾹 쑤시고 지끈거리며 욱신대기 시작했다.

"아니, 그건 독지네입니다! 그것도 일반 독지네가 아니라 칠점오공(七點蜈蚣)입니다. 얼른 해독하지 않으면 위험합니다!"

청호자가 놀라 소리쳤다.

칠점오공은 칠점사(七點蛇:까치살모사)에 버금가는 독충이다.

한 번 물리면 일곱 발자국도 못 가서 죽는다는 말이 있을 정도의 칠점사처럼, 칠점오공 또한 물린 곳이 부풀어 오르다가 금세 썩기 시작해서 반나절도 안 되어 몸 전체가 썩어 들어가는, 그야말로 독지네 중에서도 다섯 손가락 안에 드는 맹독을 지닌 독충이었다.

하지만 설벽린은 침착했다.

그는 금합에서 피독주가 박힌 반지를 꺼내 칠점오공에게 들이댔다. 그러자 칠점오공은 미친 듯이 몸부림을 치다가 이내 축 늘어졌다.

"어?"

지켜보고 있던 청호자가 깜짝 놀랐다.

설벽린은 다시 반지를 물린 부위에 가져다 댔다. 이내 부기가 가라앉고 통증이 사라지기 시작했다. 상처에서는 검은 피가 꾸역꾸역 밀려 나오고 있었다.

"오오, 이건……."

청호자가 놀라 말했다.

"이건 설마 피독주가 아닙니까?"

설벽린이 가볍게 웃으며 말했다.

"왜 아니겠습니까?"

"아아, 이런……."

청호자는 의미를 알 수 없는 탄식을 흘렸다. 장로들도 놀란 눈으로 그 광경을 지켜보고 있었다.

어느덧 검은 피는 밀려 나오지 않았다. 손가락 역시 통증은 물론 더 이상 쑤시지도 간지럽지도 않았다. 완벽하게 해독된 것이다.

한편 검은 피를 빨아들인 것처럼 피독주는 더욱더 검게 빛을 발했다. 실로 신비하고 놀라운 효능을 지닌 보석이었다.

설벽린은 다시 반지를 금합에 넣으며 말했다.

"이 피독주가 그 가격이면 진짜 저렴한 게 아니겠습니까? 이제 결정을 내리시지요."

청호자가 영문을 몰라 어리둥절한 가운데, 장로들은 서로를 돌아보았다. 그들은 동시에 고개를 끄덕였다.

벽공 장로가 그들을 대표하여 말했다.

"좋소, 그렇게 합시다. 은자 백만 냥, 그 가격으로 결정합시다."

일순 청호자가 놀라 부르짖었다.

"은자 백만 냥이라고요?"

* * *

다음 날 아침.

하산길에 위군옥이 설벽린을 따라 나왔다. 청호자도 함께 있었고 의외로 청수자도 합세하여 설벽린을 배웅했다.

산길을 따라 내려가던 중 문득 청호자가 머쓱한 표정을

지으며 웃었다.

"어제는 정말이지 기절하는 줄 알았습니다. 그렇게 다짜고짜 칠점오공에게 물리시다니요."

위군옥도 눈을 동그랗게 뜨며 말을 받았다.

"저도 그 이야기를 전해 듣고는 깜짝 놀랐어요. 다음부터는 절대 그렇게 함부로 행동하지 마세요. 아무리 자신이 있다 하더라도 한 번 더 생각하고 행동하세요."

그녀는 정혼녀 시절처럼 이야기했다. 살짝 콧잔등을 찌푸리며 웃는 모습도 여전했다.

설벽린은 마음이 살짝 설렜다. 어쩌면 다시 시작해 보는 것도 괜찮지 않을까, 하는 생각이 언뜻 그의 뇌리에 떠올랐다.

"그나저나 은자 십만 냥을 구하느라 힘들었습니다."

묵묵히 걷던 청수자가 화제를 돌렸다.

"제자들의 쌈짓돈은 물론 심지어 시주함까지 탈탈 털어야 했으니까요. 아, 그렇다고 본파에 재산이 없는 건 아닙니다. 단지 현금을 그만큼 가지고 있지 않다는 뜻일 뿐입니다."

"하하, 이해합니다. 아무 때나 은자 십만 냥을 동원할 수 있는 건 장사꾼들밖에 없겠죠."

설벽린은 웃으며 청수자를 바라보았다.

사십대 초반으로 보이는, 잘생긴 얼굴은 아니나 눈과 코과 입이 큼지막한 것이 사내다운 외모를 지닌 도사였다.

듣기로는 청자배 도사들 중에서도 무위가 출중하고 공명정대하며 인덕(人德)이 높아서 뭇 제자들의 존경을 받는다고 했다. 아마 차차기 장문인 후보라는 소리도 있다고 했던가.

'그런데 왜 나를 배웅하러 나온 걸까?'

설마 나와 안면을 트고 인맥을 쌓기 위해서? 그게 자신의 미래에도 도움이 된다고 생각했기 때문에?

하지만 설벽린이 보기에는 그렇게까지 머리를 굴리는 성격은 아닌 것 같았다. 어쩌면 설벽린이 생각하지 못하는 또 다른 이유가 있을지도 몰랐다.

그렇게 네 사람은 담소를 나누면서 어느덧 봄이 완연한 산길을 걸어 내려갔다.

이윽고 조천문이 보였다.

"우리는 여기까지 배웅하겠습니다."

청수자가 말했다.

"아, 그러시지요. 그럼 다음에 뵐 때까지 보중하시기를."

설벽린은 청수자와 청호자에게 인사를 한 후 위군옥과 함께 산길을 내려가려 했다.

하지만 위군옥은 청수자의 곁에 멈춰 서 움직이지 않았다. 외려 청호자가 그를 안내하기 위해 함께 움직였다.

'이런!'

설벽린은 그제야 비로소 깨달았다. 왜 청수자가 느닷없이 자신을 배웅하러 나섰는지 그 이유를 알게 되었다.

'내가 군옥의 새 남자라는 이야기를 하고 싶었던 모양이로구나.'

설벽린은 조천문을 배경으로 서 있는 중년 도사와 도고를 가만히 바라보았다. 정말 잘 어울리는 풍경이었다. 저도 모르게 설벽린의 입가에 미소가 스며들었다.

설벽린은 다시 손을 모으며 위군옥에게 인사했다.

"그럼 건강하고 행복하시기 바랍니다, 월영선자."

위군옥은 살짝 얼굴을 붉혔다. 그러고는 힐끗 청수자를 바라보고는 설벽린에게 다가와 두 손을 꼭 잡으며 말했다.

"건강하셔야 해요."

설벽린은 웃으며 말했다.

"강호에서 나처럼 건강한 사람을 찾기 힘들 겁니다."

작별 인사는 언제나 슬펐다.

비록 맑게 웃고 있었지만 지금도 슬픈 건 마찬가지였다. 아니, 그 어느 때보다도 슬프고 가슴이 아렸다.

하지만 설벽린은 유쾌한 목소리로 청호자에게 말을 건넸다.

"저 두 분, 언제부터 사귀셨답니까?"

"아, 사귀고 있답디까?"

청호자가 깜짝 놀라 물었다. 설벽린은 의아한 표정을 지으며 되물었다.

"그럼 사귀지 않는 겁니까?"

"아니, 그런 게 아니라…….."

청호자는 힐끗 뒤를 돌아보았다. 조천문은 이제 수풀에 가려 보이지 않았다. 그는 다시 산에서 내려가며 입을 열었다.

"월령 사질(師姪)이 처음 입문하고 힘들어했을 때 청수 사형이 많이 도와주셨답니다. 마치 친 조카 대하듯, 혹은 누이동생 대하듯 이것저것 많이 살펴 주셨죠. 월령 사질도 잘 따랐습니다."

설벽린은 그와 보조를 맞추며 이야기를 들었다.

"그래서 사람들은 혹시…… 하는 생각을 하면서 두 사람을 지켜보았지만, 이후 별다른 진척이 없었거든요. 그래서 다들 관심을 두지 않았는데…… 월령 사질이 서로 사귄다고 그렇게 말을 했습니까?"

'정말 둔감하구나, 공동파 도사들은.'

한숨이 나올 지경이었다.

남녀 사이에 흐르는 묘한 기류나 감정을, 어떻게 저리도 파악하지 못할까.

월령선자와 청수자가 주고받는 부드러운 눈빛, 미묘한 미소, 어색한 표정, 나란히 서 있었을 때 본능적으로 상대의 손을 잡으려다가 움찔 놀라며 멈추던 그 손길.

설벽린과 더불어 그 모든 것들을 함께 지켜보았음에도 불구하고 청호자는 그런 것들이 내포하는 의미를 하나도 읽어 내지 못했다.

"아니, 제가 착각했나 봅니다."

설벽린은 웃으며 말했다.

"두 분이 서 있는 모습이 하도 잘 어울려서, 혹시 사귀고 있는 게 아닐까 하는 착각을 했네요."

"하하하. 확실히 잘 어울리죠. 말씀드렸던 것처럼 진짜 친남매처럼 가까우니 그럴 수밖에요."

'친남매는 무슨 얼어 죽을.'

설벽린은 내심 투덜거렸지만, 겉으로는 밝은 얼굴로 청호자에게 동의하며 말했다.

"그렇더군요. 정말 친남매처럼 너무 다정해 보여서, 살짝 질투까지 나더라고요."

그렇게 말하는 설벽린의 입가에는 왠지 모를 쓸쓸한 미소가 희미하게 스며들었다.

3. 만나기 싫은 상대

삼월 중순에서 하순으로 접어드는 어느 날, 머리 위에

서 따스한 햇볕이 내리쬐는 봄날의 정오 무렵이었다.

잔잔한 수면 위로 햇빛이 잘게 부서져 반짝였다. 바람은 시원했고, 찰랑거리는 물결은 좋은 악기로 연주하는 노래처럼 들려왔다.

사천의 민강(岷江)에서 배를 타고 타강(沱江)을 지나 가릉강(嘉陵江)에 당도한 배는, 다시 남쪽으로부터 흘러드는 오강(烏江)을 따라 무산산맥(巫山山脈)을 가로질렀다.

게서 조금 더 동쪽으로 가면 저 유명한 삼협(三峽)의 물줄기가 나왔다. 하천 바닥에는 여기저기 뾰족한 암초가 있었고, 세 가닥 강물의 물결이 한데 합쳐지면서 일으키는 격랑과 파도는 마치 폭풍을 만난 바다와도 같았다.

그래서 수십 년 배를 몬 사공들도 다들 하나같이 긴장하며 지나치는 곳이 바로 이 삼협의 물줄기였다.

그럼에도 불구하고 하루에 한두 번씩 암초에 부딪치거나 격랑에 휘말려 침몰하는 배가 있다고 하니, 삼협이야말로 배들의 무덤이라 할 수 있었다.

그 삼협을 무사히 지나면 드디어 장강의 본류(本流)로 이어지게 된다. 호호탕탕(浩浩蕩蕩) 넓고 거대한 강물은 드넓은 호광평야(湖廣平野)를 따라 질주하는데, 굽이굽이 이어지는 물길을 따라 물길 양쪽으로 많은 호소(湖沼)들이 만들어져 있는 모습을 구경할 수가 있었다.

그 호소의 끝에는 바다처럼 넓은 동정호가 자리 잡고 있었는데, 지금 화군악과 장예추, 유 노대가 탄 객선(客船)은 그 동정호를 향해 거침없이 강물을 가르고 질주하고 있었다.

화군악과 장예추는 갑판에 나와 강바람을 쐬고 있었다. 화군악이 기분 좋은 얼굴로 말했다.

"정말 백 년은 된 것 같다. 이렇게 강바람을 쐰 지가."

"기분이 좋나 보네."

장예추가 살짝 눈살을 찌푸렸다.

"아까까지만 하더라도 죽느니, 사느니 했던 사람이 누구였더라?"

"아…… 지독했잖아, 정말. 나는 매번 삼협을 지날 때마다 이번에야말로 죽겠구나, 이런 생각이 든다니까."

화군악은 멋쩍은 얼굴로 말했다.

조금 전 삼협을 무사히 빠져나온 객선은 이제 드넓은 호광평야를 좌우로 두고 널찍하게 펼쳐진 장강의 본류를 따라 순항하는 중이었다.

찰랑거리며 배에 부딪혀 오는 물결은, 삼협의 그 악마 같고 미친 맹수 같던 거센 물결과는 전혀 달랐다.

"한 시진 후 의창(宜昌)에 당도합니다! 내리실 손님은 미리미리 짐을 꾸리세요!"

선부(船夫)들이 연신 고함을 지르며 갑판을 오갔다. 선실 내에서도 큰소리로 외치는 선부들의 고함이 들려왔다.

화군악은 뱃전에 등을 기대며 갑판을 둘러보았다. 드넓은 평야를 구경하는 선객들이 삼삼오오 모여 있었다.

"이렇게 가만있으면 말이지, 세상은 참 평화로운 것 같아."

문득 화군악이 중얼거렸다.

"걱정 근심도 없고, 누굴 죽여야 하는지 궁리할 것도 없고, 어떻게 몸을 숨겨 적으로부터 달아나야 할지 걱정할 것도 없고…… 마냥 행복하고 즐겁고 평화로운 것 같거든."

강물을 구경하고 있던 장예추도 몸을 돌려 화군악처럼 뱃전에 등을 기대며 말했다.

"겉으로 보이는 건 늘 평화로운 법이야. 오리도 유유자적 수면을 헤치고 다니는 것 같지만, 물속을 들여다보면 전혀 그렇지 않잖아? 빠지기 싫어서, 헤엄치기 위해서 쉴 새 없이 발을 놀리고 있으니까."

"아니, 안 그래도 그게 궁금했었는데 진짜 물속을 들여다보고 하는 말이야? 네 두 눈으로 똑똑히 보고 하는 말이야?"

"물론이지."

"그래? 언제?"

"아직 청령산에서 살았을 때."

장예추는 잠시 말을 끊었다가 다시 이었다.

"그때는 정말 호기심 넘치는 꼬마였거든. 궁금한 건 다 일일이 직접 해 봐야 직성이 풀렸지. 오리도 마찬가지야. 그런 속담이 진짜인지 확인하기 위해서 일부러 산을 내려가 오리를 키우는 집을 찾아갔지. 그리고 그 더러운 물속에 고개를 들이밀고 눈을 크게 떠서 확인했어. 사실이더군."

"호오. 너 진짜 대단하다."

"대단은 무슨. 어렸을 적에는 다들 그래."

"아니, 나는 그러지 않았거든."

장예추를 보며 놀란 표정을 짓던 화군악은 다시 시선을 하늘로 돌리며 말했다.

"어렸을 적의 나는 오로지 살아남기 위해서, 오늘 먹을 밥을 구하기 위해서 정신없이 살았으니까. 호기심이나 궁금증 같은 건 사치였어. 잠깐 멍하니 시간을 보내면 하루 온종일을 굶게 되는데 무슨 그런 상상을 할 수 있겠어?"

"음. 역시 네가 나보다 상상력이 부족한 건 그 때문이구나."

"그건 또 무슨 개소리야? 그래도 야래향을 만나고부터 얼마나 상상력이 늘었는데?"

"대부인을 아내로 삼겠다는?"

"아아. 그만해, 그 이야기는."

화군악은 살짝 얼굴을 붉히며 손사래를 쳤다.

"열두어 살 꼬마의 망상이잖아. 뭐, 어쩌면 생존 본능이라고도 할 수 있겠지만. 이 엄청나게 강한 여자를 내 부인으로 삼는다면 평생 먹을 걱정, 돈 걱정, 살아갈 걱정을 하지 않아도 되겠다…… 뭐 그런 식의 본능 말이야."

"그럴지도."

장예추는 선실 쪽으로 눈을 돌리며 말을 흐렸다. 마침 선실 밖으로 창백한 얼굴의 유 노대가 힘없이 걸어 나오고 있었다. 삼협을 지나면서 시작한 뱃멀미가 아직도 가라앉지 않은 모양이었다.

화군악도 유 노대를 발견하고는 손을 흔들며 큰 소리로 말했다.

"아니, 그리 오래 사셨으면서 뱃멀미는 무슨 뱃멀미입니까?"

갑판의 선객들이 그를 돌아보았다. 유 노대는 얼굴을 붉히며 인상을 썼다.

"조용히 좀 해라."

그는 서둘러 화군악과 장예추에게로 다가와 낮은 목소리로 윽박질렀다.

"세상 사람들 모두에게 내가 뱃멀미를 한다고 소문이라도 낼 게냐? 왜 그리 시끄럽게 떠들어?"

"하하하! 뱃멀미하는 게 무슨 죄라도 된답니까?"

"아이쿠. 조용히 좀 해라. 네놈 목소리 때문에 다시 머리가 지끈거린다."

유 노대는 머리를 짚으며 말했다. 장예추가 걱정하는 표정을 지으며 물었다.

"만해 사부에게 타 온 약이 있는데 드릴까요?"

"됐다."

유 노대는 고개를 저었다.

"이깟 뱃멀미에 약은 무슨 약이냐? 조금 시간이 지나면 금세 나아질 것이다."

"하지만 벌써 몇 번이나 토를 하셨잖아요?"

"아니, 이젠 거의 다 사라졌다."

유 노대는 힘겹게 두 손으로 뱃전을 잡으며 강물을 내려다보았다. 이내 그는 비틀거리며 "우웩!" 하고 헛구역질을 했다.

"멀미 날 때는 멀리 보라고 했어요."

화군악이 웃으며 말했다.

"그렇게 고개를 숙이니까 다시 멀미가 오죠. 어째 그런 것도 모르실까?"

"놈. 다 나으면 두고 보자."

유 노대는 낮게 으르렁거리며 고개를 들어 먼 하늘을 바라보았다.

"너무 놀리지 마라. 유 사부도 화내시면 무섭다."

장예추의 말에 화군악은 싱긋 웃었다. 그러고는 고개를 돌려 물길을 바라보며 중얼거렸다.

　"그러나저러나 너무 심심하잖아? 요즘 수적(水賊)은 다 죽은 거야, 뭐야? 이렇게 좋은 먹잇감을 두고 나타나지를 않네."

　장예추가 말을 받았다.

　"이렇게 강 양쪽으로 넓은 평야가 있는데 어떻게 배를 숨겼다가 나타나겠어? 의창부를 지나서 굽이진 물길을 따라 사행(蛇行)할 때, 그때가 문제지."

　의창부를 지나면 일직선으로 뻗어 있던 강줄기가 갈지자를 형성하며 굽이굽이 이어진다.

　주변 산세는 험하고 계곡이 줄지어 늘어서니, 계곡 뒤에 숨었다가 갑자기 나타나 배를 털고 사라지는 수적들이 성행할 수밖에 없었다.

　장강수로십팔채(長江水路十八寨)로 대변되는 장강의 수적들은 단 십팔채만 있는 게 아니었다.

　수십, 수백의 크고 작은 수적 집단들이 십팔채에 소속되어 있거나 혹은 독자적으로 노략질을 하는데, 그중 삼분지 일이 이 의창에서 동정호까지 이르는 물길에 모여 있다고 해도 과언이 아니었다.

　"아, 뜸 들이지 말고 얼른 찾아와라. 수적을 만나는 건 이 지루한 여행 중의 유일한 즐거움이니까."

화군악의 말에 장예추는 가볍게 눈살을 찌푸리며 말했다.

"그런 쓸데없는 기대를 하다가 큰일이 나지."

"큰일? 뭐? 설마 수적들에게 내가 당할지도 모르는?"

"아니, 수적보다 더 큰 흉적(凶賊)이 나타날지도 모르지. 네가 기겁을 하며 도망쳐야 하는."

"하하하. 그런 흉적이 어디 있어? 오대가문의 가주가 이런 데 나타날 리도 없고. 아, 장인 어르신이라면 또 모르겠다. 그분이 배에 타신다면 확실히 내가 기겁을 하고 도망쳐야 하지."

화군악의 장인은 곧 무당파 장문인이었다. 딸 소군을 빌미로 조금은 그 갈등이 해소되었다고는 하지만 여전히 껄끄럽고 만나기 싫은 상대임은 틀림없었다.

장예추는 어깨를 으쓱거리며 말했다.

"그럼 난 이 배에 무당파 장문인이 타는 걸 기대해야겠군."

"야, 너 정말 나쁘다."

화군악이 눈을 부라릴 때, 장예추는 모른 척하며 말했다.

"그럼 밥이나 먹으러 갈까?"

밥이라는 단어가 나오자 곁에 있던 유 노대가 다시 수면을 향해 헛구역질을 했다.

"우웩!"

9장.

복잡한 삶을 살아왔구나

"너도 여자 문제야?"
장예추는 살짝 망설이다가 길게 한숨을 쉬며 말했다.
"아니, 남자 문제."

1. 객선(客船)

늦은 오후 무렵, 화군악 일행을 태운 객선은 의창부의 나루에 당도했다. 이내 하선하고 승선하는 사람들로 나루는 정신없이 번잡해졌다.

배에서 내리고 또 올라타는 사람들은 그야말로 각양각색이었다.

수레 한가득 짐을 꾸린 사람들, 봇짐 하나 들고 내리는 사람들, 겉보기에도 부자의 티가 번지르르 나는 사람들, 무기를 허리에 찬 무림인들 할 것 없이 수백 명의 사람들이 나루를 가득 메웠다.

난간에 기댄 채 그 광경을 지켜보던 화군악이 어느 한

순간 저도 모르게 짧은 비명을 토해 냈다.

"악!"

곁에 있던 장예추가 의아한 표정으로 화군악을 돌아보고는 다시 그가 바라보고 있는 방향으로 시선을 돌렸다.

그곳에는 한 무리의 무림인들이 모여서 자신들이 승선할 차례를 기다리고 있었다.

그들 오남이녀(五男二女)의 젊은 무림인들은 친근하게 담소를 나누거나 주위를 둘러보기도 하면서 시간을 보내고 있었다.

장예추나 화군악의 시선에서 보자면 등을 돌리고 있는 다섯 명을 제외하고 두 명의 남녀만 시야에 들어왔다.

'흠, 군악이 놀란 걸 보면 저 두 사람 때문인 것 같은데.'

장예추는 두 명의 남녀를 유심하게 살폈다.

여인은 이십대 초반으로 보이는데 활짝 핀 꽃처럼 화려하고 아름다웠다. 이십대 후반의 남자 또한 제법 잘생긴 외모에 훤칠한 체격을 지녀서 뭇 여인들의 관심을 끌기에 충분해 보였다.

다른 사남일녀(四男一女)는 그들 남녀의 주변을 표시 나지 않게 에워싼 채 주변을 경계하는 모습으로 보아 그들을 호위하는 무사들인 것 같았다.

장예추는 그들 남녀를 지켜보며 의아한 표정을 지었다.

두 사람 모두 처음 보는 얼굴이었다. 당연히 화군악이 놀란 이유를 전혀 알 수가 없었다.

"저 사람들, 아는 사람들이야?"

장예추는 옆을 돌아보며 물었다. 다음 순간 이내 그의 눈이 휘둥그레졌다.

"응? 어느새 사라진 거야?"

바로 직전까지만 하더라도 제 옆에 있던 화군악이 신기루처럼 사라지고 보이지 않았다. 행여 저 오남이녀와 마주칠까 봐 줄행랑을 친 게 분명했다.

의아한 표정의 장예추는 문득 싱긋 웃으며 중얼거렸다.

"말이 씨가 된다더니……."

모르기는 몰라도 화군악이 기겁을 하고 도망쳐야 하는 상대가 나타난 게다.

장예추는 흥미가 생겨 다시 나루 쪽으로 시선을 돌렸다.

마침 차례가 되었는지 오남이녀의 일행은 일렬로 객선에 오르기 시작했다. 장예추는 그제야 일곱 명 전원의 얼굴을 확인할 수 있었다.

일순, 그의 얼굴도 가볍게 일그러졌다. 등을 돌리고 서 있던 다섯 호위 무사 중의 한 사내, 그 투박하면서도 사내답게 생긴 얼굴이 장예추의 두 눈에 박혔다.

"황룡(黃龍)······."

그의 입에서 사내의 이름이 흘러나왔다.

* * *

"아, 인사가 늦었네요. 나는 절강성 북성표국(北星鏢局)의 황룡(黃龍)입니다."

백팔연단관의 신입 시절, 황룡은 그렇게 장예추에게 자기를 소개하며 순박하게 웃었다.

나이는 열일곱, 같은 기수의 동료 중 제일 연장자였음에도 불구하고 나이를 내세우지 않고 솔선수범하며 힘든 일은 도맡아 처리하는 아이였다.

백팔연단관에 구천십지백사백마의 고수 몇 명이 잠입했을 때 장예추와 더불어 생사를 걸고 그들과 맞서 싸우던 용감한 아이이기도 했다.

늘 쾌활하게 웃을 줄 알고 힘들고 고된 수련을 즐겁게 받아들이며 인내할 줄 아는, 그런 한편으로는 황계의 첩자였던 예빙빙(芮氷氷)을 몰래 짝사랑하던 순박한 아이였다.

그리고 장예추가 누명을 썼을 때, 그게 누명이 아니라 진짜로 백팔연단관과 자신을 배신했다고 생각하고 분노

했던, 또 예빙빙과 장예추의 사이를 오해하면서 그야말로 둘도 없는 원수가 되어 버린 아이이기도 했다.

'그때가 언제였더라?'

장예추는 눈을 가늘게 뜨고 상념에 잠겼다.

백팔연단관을 나오고 수년이 흘렀을 때, 우연히 장예추는 황룡과 백팔연단관 사람들을 만났다.

물론 변명은 통하지 않았다. 교두를 비롯한 백팔연단관 사람들은 장예추를 향해 무작정 살수를 휘둘렀고, 황룡 또한 그들 중 한 명이었다.

장예추는 어쩔 수 없이 그들 모두를 쓰러뜨렸고, 부상당한 황룡은 자신을 두고 돌아서는 장예추를 향해 처절하게 부르짖었다.

"네놈이 지금 나를 죽이지 않는다면…… 돌아와 반드시 네놈을 지옥으로 보내 주마."

하지만 장예추는 죽이지 않았다. 자혼조 시절의 햇병아리 때, 그 누구보다도 친했던 황룡이었다. 차마 그를 죽일 수가 없었다.

'그때 황룡과 무슨 이야기를 나눴더라?'

악독한 원념(怨念)에 찬 눈빛으로 자신을 쏘아보던 그때의 황룡과 한동안 이야기를 나눈 기억은 남아 있었다.

하지만 무슨 말을 했는지, 그리고 무슨 말을 들었는지
는 물결에 쓸려 간 모래성처럼 남아 있지 않았다.

'어쨌든 나도 지금 이 상황에서 황룡과 마주치는 건 싫
다.'

장예추는 황룡 일행이 배에 오르기 전에 황급히 선실로
돌아갔다.

매우 큰 규모의 객선답게 선실은 크게 세 등급으로 분
류되어 있었다.

특급선실은 네 명이 묵을 수 있는 침상과 식탁, 그리고
간단하게 씻거나 용변을 처리할 수 있는 측소(厠所)까지
딸려 있었다.

일급선실은 여덟 명까지 묵을 수 있도록 침상 네 개가
마련되었고, 넓은 식탁이 준비되어 있었다.

반면 이급선실은 오십 명 정도의 인원이 충분히 누워서
잠잘 수 있는 넓은 평상이 전부였다.

물론 장예추 일행은 특급선실 중에서도 가장 전망이 좋
은 방을 빌려 그곳에 머물러 있었다.

장예추가 문을 열고 안으로 들어서자 화군악은 한참 탁
자 위에 보자기를 풀어 놓고 뭔가 열중하고 있었다. 유
노대는 아직도 뱃멀미가 가라앉지 않은 듯 침상에 누운
채 끙끙거렸다.

유 노대는 장강의 물결에 배가 한 번씩 흔들릴 때마다 "아이구." 하는 신음을 흘렸다.

"뭐 해?"

장예추는 화군악에게로 다가가 자리에 앉으며 물었다. 화군악은 장예추를 쳐다보지도 않고 말했다.

"보면 몰라?"

장예추는 식탁을 내려다보았다.

화군악이 펼친 보자기에는 온갖 물건들이 담겨 있었다.

여인들이 사용하는 지분(脂粉), 글씨를 쓰는 데 필요한 붓과 먹물, 옷감을 물들이는 염료, 풀처럼 끈적거리는 접착제와 털 한 무더기 등등이 동경(銅鏡)과 함께 나란히 놓여 있었다.

그걸 본 장예추는 화군악이 뭘 하려는지 단번에 알아차렸다.

"역용술(易容術)?"

화군악은 붓을 들어 지분을 찍어 바르며 고개를 끄덕였다.

"그래. 행여 내 얼굴을 아는 사람이 있으면 골치 아파지니까 아예 다른 사람으로 변장을 해 두려고."

장예추가 쓴웃음을 흘리며 말했다.

"얼굴을 아는 사람이 있으면 골치 아파지는 게 아니라 벌써 있는 거 아냐? 여인이지? 꽃이 활짝 핀 것처럼 화려하고 아름다운, 분홍빛이 감도는 흰옷을 입은 여인?"

순간 화군악이 그를 돌아보며 다급하게 물었다.

"그녀가 누군지 알아? 그녀와 마주친 거야? 지금 그녀는 어디 있는데?"

장예추가 움찔 놀라 뒤로 몸을 피할 정도로 화군악은 초조하고 급하게 물어 왔다. 장예추는 농(弄)을 하려다가 마음을 바꿔 사실대로 말했다.

"아니, 몰라. 마주친 게 아니라 멀리서 본 거야. 그리고 지금 그녀는 막 배에 올랐을 거야."

"그래?"

화군악은 안도의 한숨을 내쉬며 말했다.

"행여 마주치면 결코 우리 본명을 말해서는 안 돼. 알겠지?"

그는 다시 붓으로 얼굴 피부의 색을 바꾸기 시작했다.

역용술이라는 건 얼굴을 바꾸는 수법을 의미하는데, 아주 기본적으로 타인이 제 얼굴을 알아보지 못하게 하는 수법부터 시작하여 다른 사람의 얼굴로 분장하는 수법까지 매우 다양하고 복잡했다.

역용술에는 크게 세 가지 방법이 있었다.

우선 도구나 가면을 이용하여 얼굴을 바꾸는 수법이 하나였다. 소위 말하는 면구(面具)나 인피면구(人皮面具)가 바로 그것이었다.

면구는 풀 먹인 창호지에 여러 가지 약재를 스며들게

하여 얼굴 피부와 비슷하게 만든 가면이었으며, 인피면
구는 말 그대로 사람의 얼굴 피부를 벗겨 내서 썩지 않도
록 가공한 가면을 말했다.

두 번째로는 내공과 무공의 힘을 빌려 얼굴의 생김새와
체격, 그리고 근골까지 변화하는 역체변용술(易體變容
術)이 바로 그것이었다.

무위가 높고 내공이 깊은 고수들은 이 역체변용술을 이
용하여 순간적으로 체형을 바꾸고 얼굴을 변화시켜서 추
격자나 검문자들을 따돌리기도 했다.

마지막이 지금 화군악이 하는 화장역용술(化粧易容術)
이었다.

풀 등의 접착제와 짐승의 털, 그리고 염료와 안료 등을
이용해서 눈썹을 붙이거나 그려서 얼굴빛과 모양새를 바
꾸는 화장술(化粧術)이었다.

상당히 오랜 작업 시간이 걸리는 데다가 매우 정교하게
그리고 붙이지 않으면 금세 들통날 수도 있었다.

하지만 반면 누구나 쉽고 빠르게 배울 수 있고, 따로
많은 돈이나 내공이 들지 않는다는 장점이 있었다.

"호오, 제법인데."

잠시 화군악의 화장술을 지켜보던 장예추가 감탄했다.

"누구에게 배웠는지는 몰라도 제대로 배웠어."

"설 형님."

화군악은 눈썹 끝부분에 짐승의 털을 붙이며 말했다.

"예전에 가르쳐 주셨지. 배우고 나서 곧장 몇 번 써먹었는데 그 이후로 거의 해 보지 않아서 잘될지 모르겠다."

"아, 잘하고 있어."

장예추는 물끄러미 지켜보다가 불쑥 말했다.

"끝나면 나도 좀 도와줘."

"응? 왜?"

장예추는 한숨을 쉬며 말했다.

"행여 내 얼굴을 아는 사람이 있으면 골치 아파지니까 아예 다른 사람으로 변장을 해 두려고."

화군악은 손을 멈추고 장예추를 돌아보았다. 장예추는 어깨를 으쓱거리며 다른 말을 했다.

"그러면 나도 네게 변체역용술의 간단한 기본을 가르쳐 줄 테니까."

화군악은 말없이 물끄러미 장예추를 지켜보다가 불쑥 물었다.

"너도 여자 문제야?"

장예추는 살짝 망설이다가 길게 한숨을 쉬며 말했다.

"아니, 남자 문제."

화군악은 무슨 사정인지 잘 알겠다는 듯이 고개를 끄덕였다.

"너도 참, 복잡한 삶을 살아왔나 보다."

2. 역용술(易容術)

장예추도 고개를 끄덕였다.

"누가 아니래."

"좋아. 나 먼저 끝내면 너도 제대로 칠해 주지. 아, 여자로 변장하는 게 좋을까?"

"헛소리 말고."

"참, 그런데 조금 전에 뭐라고 했지? 역체변용술의 기본을 가르쳐 준다고?"

"그래."

"그럼 굳이 화장을 통해서까지 변장할 필요는 없잖아?"

"아니, 내가 배운 변용술은 한계가 있거든."

장예추가 어깨를 으쓱거리며 말했다.

"취몽월영께서 내공이 조금 부족하신 바람에…… 나름대로 아주 짧게 사용하거나, 아주 간단하게 얼굴을 바꾸는 방법만 연구하셨거든."

"호오."

"그런데 지금 보니까 그렇게 간단하게 바꾼 얼굴에 네 화장술까지 더해진다면 제법 괜찮은 역용술이 될 것 같아."

"그래? 그럼 너부터 해 보자. 그게 괜찮으면 나도 네게
배워서 써먹을 거야."

"좋지."

장예추는 가볍게 심호흡을 하고는 두 손으로 얼굴을 비
비적거렸다.

화군악은 가만히 그가 하는 행동을 지켜보았다. 장예추
는 손가락 끝으로 얼굴을 두드리기도 하고, 손바닥으로
피부를 밀거나 당기기도 했다.

그렇게 약간의 시간이 흐른 다음, 장예추는 얼굴에서
손을 떼며 말했다.

"어때?"

"어라?"

화군악의 눈이 휘둥그레졌다.

그 자리에 앉아 있는 사람은 장예추였다. 하지만 장예
추가 아니었다. 기존의 장예추가 아닌, 분위기가 미묘하
게 달라진 얼굴이었다.

"희한하네."

화군악이 장예추의 얼굴을 뚫어지게 바라보며 말했다.

"분명 네 얼굴인데 네 얼굴 같지가 않아. 눈, 코, 입도
그대로인데 도대체 뭐가 달라진 거야?"

장예추는 소리 없이 웃으며 말했다.

"눈초리가 살짝 쳐졌고, 입술이 아주 조금 두꺼워졌지. 코도 역시 뭉툭해진 기분이 들고. 그렇지?"

"어라? 목소리는 또 뭐야?"

화군악은 놀라 물었다.

지금 장예추의 입에서 흘러나온 목소리는 평소 그의 음성이 아니었다. 걸쭉하고 더 묵직한 저음의 목소리.

"이 정도야, 취몽월영의 역용법은."

"대단하다."

화군악은 진심으로 감탄했다.

피부를 이완시키거나 긴장시켜서 눈코입의 원래 위치에서 살짝 벗어나게 하는 것만으로도 사람의 인상이 달라지고, 심지어 아예 다른 사람처럼 보이기까지 한다.

거기에다가 입술에 가벼운 충격을 주어서 두껍게 만드는 식으로 변형을 가하면 곧 그게 저 전설적 대도(大盜)인 취몽월영의 역용술이 되는 것이다.

"취몽월영은 이 수법으로 수많은 위기를 넘겼다고 하셨어. 나름대로 비장의 한 수가 되는 셈이지."

장예추는 다른 사람으로 변모한 제 얼굴을 만지작거리며 말했다.

"하지만 아쉬운 건 또 사실이야. 내 얼굴에서 크게 달라지는 건 없으니까, 눈썰미 좋은 사람이라면 당연히 뭔가 의심할 수밖에 없거든."

장예추가 아쉽다는 듯이 말하자, 화군악은 고개를 끄덕이며 말을 받았다.

"거기에다가 내 화장술을 덧칠한다? 호오, 괜찮아. 아주 좋을 것 같아. 당장 해 보자."

화군악은 곧장 자세를 바꿔 장예추의 얼굴에 붓칠을 하기 시작했다.

접착제를 바른 후 짐승의 털을 이용하여 수염을 만들고 눈썹을 덧붙였다. 안료와 염료를 사용하여 광대가 튀어나와 보이도록 만들었다.

화군악은 장예추의 얼굴에 예술의 혼을 담고자 노력했다. 그렇게 시간이 흐르고 화군악은 만족한다는 듯이 고개를 끄덕이며 말했다.

"동경을 봐 봐."

장예추는 동경을 들어 제 얼굴을 확인했다. 동시에 그는 저도 모르게 웃음을 터뜨렸다.

"푸하하하! 이게 뭐냐?"

동경 안에는 사십대로 보이는 중년 사내가 있었다. 진한 턱수염에 눈썹이 두껍고 광대뼈가 툭 튀어나온, 두 눈이 부리부리한 중년인이 장예추를 바라보고 있었다.

"왜 그리 소란이냐?"

잠들어 있던 유 노대가 장예추의 웃음에 놀라 투덜거리며 일어났다.

"응? 누구시오?"

유 노대는 장예추를 보고는 흠칫 놀라며 물었다.

장예추는 웃음을 감추며 말했다. 그의 입에서는 예의 그 걸쭉하고 묵직한 목소리가 흘러나왔다.

"처음 뵙겠소이다. 예추의 친숙부 되는 사람입니다."

"아, 그렇소? 허허. 초면에 결례를 범했구려."

유 노대는 황급히 침상에서 일어나 손을 모으며 인사했다.

"아, 말씀 많이 들었소이다. 이 사람은 예추에게 평소 많은 도움을 받고 있는……."

유 노대는 정중하게 말하다가 문득 이상함을 느끼고 입을 다물었다.

화군악이 킥킥거리며 웃고 있었다. 예추의 숙부라는 작자도 입술을 깨문 채 억지로 웃음을 참는 모습을 보였다.

'뭐지?'

유 노대는 잠시 고개를 갸우뚱거리다가 문득 탁자에 놓인 물건들을 보고는 무슨 상황인지 알아차렸다.

"이놈!"

그는 이내 눈살을 찌푸리며 말했다.

"예추, 네 녀석이었구나!"

"푸하하하!"

화군악의 웃음보가 터진 가운데 장예추가 고개를 숙이

며 사과했다.

"죄송합니다. 저도 모르게 잠깐 장난기가 생겨서 유 사부를 속였습니다."

"허어, 이 맹랑한 녀석들."

한숨 잔 덕분이었을까. 아니면 장예추의 장난질 때문이었을까. 유 노대는 어느새 뱃멀미가 가라앉은 듯, 올곧은 자세로 탁자로 걸어와 자리에 앉으며 장예추의 얼굴을 가만히 들여다보았다.

"허어. 그것참 감쪽같구나. 정말 예추 넌 줄 전혀 모르겠구나."

"군악의 솜씨가 생각보다 좋습니다. 화가(畵家)가 되었어도 충분히 먹고살았을 겁니다."

"흠, 그런데 왜 갑자기 그렇게 다른 사람으로 분장한 게냐? 심심풀이는 아닌 것 같고…… 뭐, 널 알아보면 곤란한 사람이라도 배에 오른 게냐?"

장예추는 머뭇거리다가 고개를 끄덕였다.

"네. 아주 귀찮은 일이 생길 것 같아서요."

"여자냐?"

유 노대도 화군악과 같은 질문을 던졌다.

"사냅니다."

"으응?"

유 노대는 살짝 몸을 뒤로 빼며 장예추를 바라보다가

고개를 끄덕이며 말했다.

"네 녀석도 참 거친 삶을 살아왔나 보다."

장예추는 대답 대신 씁쓸하게 웃었다.

화군악이 그때 말을 걸었다.

"그럼 이제 내게 그 취몽월영의 변용술을 가르쳐 줘야지."

"응? 너도?"

유 노대가 깜짝 놀라며 화군악을 돌아보았다.

"너도 알아보면 곤란한 사람이 탔느냐?"

화군악은 애매하게 웃으며 대답했다.

"그런 셈입니다."

"남자야?"

"아니, 여자입니다."

유 노대는 안도의 한숨을 쉬며 말했다.

"혹시나 네 녀석들 모두 같은 사내를 두고 그리 겁먹었나 했다."

"무슨 말도 안 되는 생각을 하시는 겁니까?"

"아니, 됐다. 어서 하던 일이나 계속해라."

유 노대는 너스레를 떨며 말했다.

장예추는 곧 화군악에게 취몽월영의 변용술에 대해서 설명했다. 화군악은 물론 유 노대 또한 흥미로운 표정을 지은 채 그의 설명에 귀를 기울였다.

"대충 알겠다."

화군악은 고개를 끄덕였다.

"그러니까 가장 중요한 게 피부를 이완시키고 긴장시키는 이 두 가지 방법이겠네."

"그렇지. 그것만 할 줄 알아도 인상이 달라지니까."

화군악은 호흡을 가다듬으며 내공을 운기했다. 단전에 모여 있던 내공은 이내 세 갈래로 나뉘어서 하나는 얼굴로, 다른 두 개는 양손으로 흘러 들어갔다.

화군악은 두 손에 따스한 기운을 불어넣은 다음 얼굴을 비비기 시작했다.

한참을 그렇게 비비던 그는 왼손에 차가운 기운을 불어넣고 얼굴 곳곳을 매만졌다. 따스한 기운은 피부를 이완시켰고 차가운 기운은 얼굴 피부를 긴장시켰다.

"음, 그렇구나."

지켜보고 있던 장예추가 뭔가 깨달은 듯 고개를 끄덕이며 중얼거렸다.

"빙공(氷功)을 이용하여 피부를 긴장시킨다는 건 미처 생각하지 못했네. 확실히 지금 내가 사용하는 변용술보다 나은 것 같다."

"너도 나중에 북해빙궁에서 빙정의 효능을 얻으면 돼."

화군악은 얼굴을 비비면서 말했다.

그때였다. 선실 밖에서 정박하고 있던 객선이 출발한다

는 신호가 들려왔다. 아울러 선부들이 선실을 돌아다니며 큰소리로 외쳤다.

"곧 배가 출발합니다! 다들 잊은 물건이 없는지, 동행은 자리에 있는지 확인해 주시기 바랍니다!"

선부들의 소리가 멀어져 가는 가운데 이윽고 화군악은 얼굴에서 두 손을 뗐다.

"어때?"

그는 자랑스레 물었다.

"푸하하하!"

"허허허."

대답 대신 유 노대와 장예추의 웃음이 먼저 터져 나왔다.

"왜? 뭔데?"

화군악이 불안한 표정을 지으며 묻자, 장예추가 그에게 동경을 건넸다.

화군악은 동경을 받아 들고 자신의 얼굴을 확인했다. 이내 그는 유 노대와 장예추처럼 저도 모르게 웃음을 터뜨렸다. 동경 안에는 웃지 않고는 배길 수 없는 얼굴이 화군악을 바라보고 있었다.

"푸하하하! 이게 뭐야?"

화군악을 배를 움켜쥐고 웃었다.

"왜 두 눈이 짝짝이고 코가 삐뚤어졌는데? 이 멍청하고 기이하게 생긴 녀석은 도대체 누구야?"

3. 여우가 다 되었구나

의창부의 나루에서 손님들을 내리고 새로운 승객을 태운 객선은 다시 장강의 물길을 따라 동쪽으로 향했다.

날이 천천히 어두워지는 가운데 객선 곳곳에 불이 밝혀졌다. 선두와 선미에는 낚싯대처럼 긴 대를 매달아 등(燈)을 걸었다. 물길을 확인하는 한편, 다른 배들이 피해 지날 수 있도록 경고의 의미도 함께 지닌 등불이었다.

장강은 거대한 구렁이와 같았다. 그 서쪽 끝에서 동쪽 바다까지 이어지는 총길이는 수만 리나 되었으며 강폭은 무려 십 리가 넘기도 했다.

밤이 깊어도 그 거대한 장강을 오가는 배는 제법 수가 되었다. 객선들도 있었고 물고기를 잡는 배도 있었으며 심지어 밤의 풍취를 즐기러 나온 화선(畫船)도 있었다.

그들이 서로 부딪치지 않기 위해서 배 곳곳에 등을 단 광경은 마치 물 위에 환한 꽃들이 피어 있는 것처럼 보이기도 했다.

"보기 좋네요. 정말 강물에 뜬 꽃처럼 보여요."

갑판에 나와 강물을 구경하던 여인이 중얼거렸다. 분

홍빛이 감도는 흰색 옷을 입은, 활짝 핀 꽃처럼 화려하고 아름다운 여인이었다.

"하하. 아무리 저 꽃들이 아름답다고 한들 어찌 그대만 하겠소?"

여인의 곁에 서 있던 사내는 남이 들으면 얼굴이 뜨겁게 달아오를 정도로 부끄러운 말을 서슴지 않았다.

훤칠한 체구에 제법 잘생긴 용모의 남색(藍色) 무복을 입은 사내는 계속해서 말을 이어 나갔다.

"이제 양쪽 어른들 모두 허락하셨으니 얼른 날짜를 잡읍시다. 사월 초면 적당할 것 같은데, 어떻소?"

사내의 말에 여인은 방긋 웃으며 대답했다.

"저도 그러고는 싶지만 날짜는 할아버님께서 좋은 날로 택일(擇日)하실 거예요."

"흠, 안타깝구려. 이렇게 둘이 서로를 사랑하는데, 아직 하나가 될 수 없다니 말이오."

사내는 길게 한숨을 쉬며 말했다.

그들로부터 약간 거리를 두고 떨어져서 지켜보고 있던 투박한 얼굴의 사내는 속으로 한숨을 내쉬었다.

'정말이지 낯부끄러운 줄도 모르고 떠드는구나. 오냐오냐하면서 자란 티가 역력하다. 어쩌다가 형문파(荊門派)에서 저런 애송이를 키워 냈을까?'

사내의 입장에서는 도저히 이해가 가지 않는 일이었다.

형문파는 의창부 남쪽의 형문산(荊門山)에 터를 잡은 문파였다.

오랜 세월 동안 평범한 군소 문파에 불과했던 형문파는 전대의 장문인이 뛰어난 역량을 발휘하여 지난 수십 년 이래로 급성장을 하였다.

전대의 장문인은 형문파의 문호를 넓혀 뛰어난 기재들을 제자로 맞아들이는 한편 많은 속가제자를 배출하여 그 세력을 키웠다.

그리고 그는 형문산 일대의 넓은 토지를 소작농들에게 임대, 그 자금을 바탕으로 공격적인 투자를 하였다.

그 결과 형문산 인근 마을 이십여 곳에 수백 채의 건물을 지었고, 또한 수만 평에 달하는 전답(田畓)의 소유자가 되었다.

전대 장문인이 죽은 후 현 장문인 역시 그 기조를 잃지 않고 계속해서 세를 불려 나갔다.

그리하여 작금에 이르러서는 저 공동파를 대신하여 구파일방의 한자리에 당당하게 형산파의 이름을 올릴 정도로 위세가 등등해졌다.

'호부(虎父) 밑에 견자(犬子) 없는 법이라더니, 그것도 예외가 있나 보지?'

현 형문파의 장문인 추담검객(秋潭劍客) 장자일(張子日), 그에게는 세 명의 아들과 두 명의 딸이 있었는데 그

중 장남이 바로 저 남색 옷을 입은 사내, 장백두(張白頭)였다.

무공에 관한 한 부친이나 조부를 훨씬 뛰어넘었다는 평을 들을 정도로 무위가 뛰어나서 세상 사람들은 그를 가리켜 형문제일검(荊門第一劍)이라고 불렀다.

반면 자아도취 하는 성격에 쓸데없이 자존감까지 높아서, 세상 모든 여인들이 자신을 사랑하고 모든 사내들이 자신을 존경한다고 생각하는 인물이었다.

'그나마 사람까지 나쁜 게 아니라서 다행이기는 하지만.'

투박한 얼굴의 사내가 거기까지 생각할 때였다. 형문제일검 장백두가 문득 사내를 돌아보며 말했다.

"이 밤중에 호위하느라 고생 많으시오. 이제 그만 들어가서 쉬셔도 좋소, 황 당주(堂主)."

황 당주라 불린 이 사내의 이름은 황룡.

별호는 북성천검(北星天劍)으로, 서안 북성표국(北星鏢局)의 후계자이기도 했다. 그는 열일곱 나이에 백팔연단관의 수련생으로 입문, 삼 년의 기간을 거쳐 현재 태극천맹 의창 지부에 소속되어 있었다.

태극천맹의 당주가 형문파 자제의 호위를 맡은 건 사실 이례적인 일이었다.

태극천맹으로 보내는 형문파의 후원금이 상당한 데다

가 근자에 이르러 형문파의 위세가 다른 구파일방을 앞서지 않았더라면 결코 있을 수 없는 일이었다.

"괜찮습니다."

황룡은 무뚝뚝하게 말했다. 그러자 장백두는 한쪽 눈을 찡긋거리면서 재차 권유했다.

"초 소저는 내가 지킬 터이니 걱정하지 말고 들어가 쉬시지요."

말하는 모습이나 행동을 보아 하건대 두 사람이 노는데 방해가 되니 괜히 눈치 없게시리 서성이지 말고 얼른 안으로 들어가라는 것 같았다.

황룡은 더 눈치 없게 굴까 하다가 마음을 바꿨다. 그는 고개를 숙이며 말했다.

"그럼 먼저 들어가겠습니다."

"아, 잠깐만."

장백두는 황룡에게 다가와 전표 한 장을 쥐여 주며 말했다.

"가서 수하들과 함께 술이라도 한잔하시오."

은자 백 냥은 황룡에게 있어서도 상당히 큰 금액이었다. 은자 백 냥은 태극천맹의 일반 무사의 월봉의 다섯 배, 당주의 두 배에 해당하는 액수인 만큼 황룡도 차마 거절하지 못하고 받아 챙겼다.

장백두가 그의 어깨를 두드리며 여인 모르게 소곤거렸다.

"늦게까지 있을 테니까 굳이 찾으러 나오지 않아도 되오."

역시 한쪽 눈을 찡긋거리며 말한 장백두는 곧바로 몸을 돌려 여인에게로 걸어갔다.

"하하. 정말 아름다운 밤이구려. 그대가 함께 있으니 더욱 아름답게 느껴지오."

황룡은 그 뒷모습을 바라보며 가볍게 한숨을 내쉬었다.

'금해가에서 뭐가 부족해서 왜 저런 멍청이를 사위로 들이려 하는지 모르겠군. 뭐 하기야 내가 관여할 바는 아니지만.'

황룡은 전표를 소매 춤에 넣으며 선실로 향했다.

막 선실 문을 열려는 순간, 두 명의 중년 사내들이 문을 열고 나왔다.

일순 물결이 크게 치면서 객선이 한쪽으로 크게 기우뚱 거렸다. 사람들은 모두 비틀거리면서 겨우 중심을 잡았다.

하마터면 서로 부딪칠 뻔한 황룡과 두 중년 사내는 다시 옷매무시를 가다듬은 다음, 가볍게 눈인사를 하면서 서로 엇갈려 지나쳤다.

황룡은 선실 안으로 들어가고 두 중년 사내는 갑판으로 나왔다.

봄이기는 하지만 아직 밤바람은 서늘했다. 특히 강바람

은 더해서 잠깐 바람을 쐬고 있어도 온몸에 한기가 느껴질 정도로 차가웠다.

그래서인지 갑판에는 사람이 보이지 않았다. 우측 난간에 가까이 붙어 있는 한 쌍의 남녀를 제외하고는.

"아까 그 사내였어?"

"그래. 전혀 나를 알아보지 못하더라고."

"역시 내 화장술이 최고라니까."

두 중년 사내는 키득거리다가 문득 그 한 쌍의 남녀를 보고는 걸음을 멈췄다. 그나마 제법 사람답게 생긴 턱수염의 중년 사내가 낮은 목소리로 물었다.

"저 여인인가?"

원숭이처럼 생긴 중년 사내는 말없이 고개만 끄덕였다. 원숭이는 한동안 그 여인을 지켜보다가 한숨을 쉬며 나지막한 소리로 말했다.

"애증의 계집이지."

"흐음."

턱수염은 제 가짜 턱수염을 매만지며 여인을 바라보았다. 역시 화사한 미모에 육감적인 몸매를 지닌 여인이었다. 원숭이가 충분히 사랑을 느낄 정도의 여인이기는 했다.

"사랑은 알겠네. 그런데 증오는 뭐지?"

턱수염이 묻자 원숭이는 짧게 대답했다.

"이야기하면 길어."

"시간 많으니까 괜찮잖아?"

"됐어. 좋은 일도 아닌데 뭐."

원숭이는 어깨를 으쓱거렸다. 그러다가 문득 무슨 생각이 들었는지 그 한 쌍의 남녀가 서 있는 쪽으로 몇 걸음 더 다가갔다.

"왜 가까이 가는데?"

"무슨 이야기를 하나 궁금해서."

우웅!

강바람이 소리를 내며 휘몰아쳤고, 물결은 연신 철썩거리며 뱃전을 쳤다. 저들 남녀와 원숭이와의 거리는 열 걸음 정도밖에 되지 않았지만, 그래도 그들의 대화를 엿듣기에는 상당히 좋지 않은 환경이었다.

하지만 원숭이는 개의치 않고 귀를 기울였다.

그렇게 한참을 집중하고 있자 바람 소리, 물결 소리를 뚫고 그들의 대화가 들리기 시작했다.

"사랑하오."

그게 원숭이가 훔쳐 들은 첫 번째 목소리였다.

'우웩!'

원숭이는 하마터면 큰 소리로 토악질을 할 뻔했다. 이런 곳에서 저렇게 당당하게 사랑한다고 말하는 사내가 있다니. 도저히 믿어지지 않았다.

여인은 잠시 머뭇거리다가 조심스레 말했다.

"저기 사람들이 있어요. 그들이 들을까 봐 창피해요."

여인의 말에 사내가 뒤를 돌아보았다. 원숭이와 턱수염은 난간을 잡은 채 밤의 강 풍경을 지켜보는 시늉을 했다. 사내는 다시 몸을 돌려 여인에게 말했다.

"구경 나온 평범한 아저씨들이오. 우리 이야기를 어찌 훔쳐 듣겠소. 이렇게 바람 소리 세차고 물소리 심한데 말이오."

여인도 가만히 생각해 보니 그도 그럴 것 같다고 여겼는지 아주 낮은 목소리로 말했다.

"저도요."

사내는 의아해하며 물었다.

"그게 무슨 뜻이오?"

여인은 부끄러워하며 말했다.

"조금 전 장 오라버니께서 말씀하신 거 있잖아요?"

"내가? 아, 사랑한다고 했던 말? 아, 그렇구려. 그러니까 그대도 나를 사랑한다는 뜻이구려. 만나서 사귀게 된 지 불과 삼 개월도 되지 않았는데 이렇게 서로를 사랑하게 되다니, 역시 우리는 천생연분이오."

사내는 여인의 손을 잡았다. 여인은 부끄럽다는 듯이 손을 빼며 몸을 돌렸다. 사내가 그녀의 뒤에서 팔을 둘러 껴안았다. 여인이 살짝 몸을 틀며 빠져나왔다.

"사람들이 봐요."

"하하. 볼 테307
면 보라고 하지."

사내는 사내답게 웃으며 여인을 와락 껴안았다.

듣고 있던 원숭이가 길게 한숨을 내쉬며 속으로 중얼거렸다.

'정말 그동안 여우가 다 되었구나, 운혜(雲嘒).'

10장.
선상(船上)의 오찬(午餐)

"나도 맛있게 먹었소. 하지만 매우 형편없는 오찬이었소.
이렇게 재미없고 지루하며 넌더리 나는 오찬은 맹세코 처음이었소."

1. 장백두(張白頭)

금해가는 태극천맹의 기둥이자 현 강호 무림의 패권을 쥐고 있는 오대가문 중의 하나였다. 보유하고 있는 금(金)으로 바다를 메운다는 엄청난 재력을 과시하는 가문이었다.

그 가문의 현 가주는 초일방(楚溢邦)으로 타고난 친화력과 상술로 금해가 역대 최고의 부흥기를 만들었다는 평판이 자자한 거물이었다.

하지만 초일방에게는 아쉽게도 자식이 귀했다. 하나뿐인 아들은 정사대전 당시 목숨을 잃었으며, 이후 손녀 초운혜만이 그의 유일한 혈육이었다.

초일방은 하나밖에 없는 손녀를 애지중지 키웠다. 그러는 한편 뛰어난 자질을 지닌 청년을 찾아 손녀와 짝을 지어 주는 동시에 그로 하여금 금해가의 대를 잇게 하려 했다.

몇 년 전 초일방은 상술(商術)이 뛰어나고 배포가 크며 자신만만하고 혈기 넘치는 두 청년을 알게 되었다.

청년들은 초일방의 기대보다 훨씬 더 뛰어난 기재들이었다. 그들은 맡은 업무 이외에도 자신들의 영역을 넓혀가면서 순식간에 금해가의 기대주로 급성장했다.

또한 그중 한 명은 초일방의 손녀인 초운혜와 사랑하는 사이가 되었으니, 그야말로 초일방이 원하는 바가 모두 이뤄지는 듯했다.

하지만 호사다마(好事多魔)라고나 할까.

어느 날 그 청년은 아무 말도 남기지 않고 실종되었다. 금해가는 태극천맹, 태극감찰밀까지 동원하여 청년을 찾았지만 아무런 소득도 얻지 못했다.

졸지에 사랑하는 이를 잃게 된 초운혜는 기절하기를 반복했고, 청년의 친구는 수시로 그녀를 찾아 위로하고 달래고 격려했다.

그 와중에 다시 새로운 사랑이 두 사람 사이에 꽃을 피웠다. 초일방의 입장에서 보자면 꿩 대신 닭이 아니라 닭 대신 꿩인 셈이었다. 청년의 친구는 그 누구보다 뛰어난 재능과 상술을 겸비했으니까.

그리하여 마침내 두 남녀의 정혼식이 시작되려는 찰나, 무림 재야 고수들이 금해가를 공격하는 일이 벌어졌다. 동시에 초운혜가 정체불명의 인물들에게 납치를 당했다.

초일방은 공황 상태가 되었다.

그때 나선 게 청년의 친구였다. 그는 자신이 모든 걸 처리하겠다면서 진두지휘했다.

하지만 청년은 야래향과 빙혼마고 등 공적십이마와 사마외도의 고수들에 의해 불귀의 객이 되었다.

초운혜는 구사일생으로 살아남았지만, 이후 몇 년 동안 방안에 칩거한 채 밖으로 나가지 않았다.

초일방은 그런 초운혜를 보다 못해 그녀의 외가라 할 수 있는 형문파에 보내어 다친 마음을 달래고 휴식을 취하여 평정을 되찾게 했다.

게서 초운혜는 장백두를 만나게 된다.

장백두는 초운혜를 보자마자 사랑에 빠졌다. 그는 몇 번이고 그녀에게 청혼했으며, 한편으로는 부친을 졸라 결국 초일방에게 정식으로 혼담을 넣었다.

초일방은 당혹스러웠다.

비록 신흥 강호이기는 하지만 형문파의 요즘 기세는 그 야말로 욱일승천(旭日昇天)이었다. 사돈으로 맺기에는 그리 나쁘지 않은 배경이라 할 수 있었다.

애당초 초일방은 사돈 될 가문에는 그리 신경을 쓰지 않았다. 사위를 데릴사위로 삼아서 성씨를 초(楚)로 바꿔 대를 잇게 할 생각이었으니, 외려 사돈 될 가문이 너무 대단할 필요가 없었던 것이다.

초일방이 당혹스러워한 부분이 바로 그 점이었다.

장백두는 장문인의 장남이었다. 현 장문인의 뒤를 이어 형문파의 장문인이 될 인물이었다. 그런 자에게 제 성을 버리고 초씨 성을 쓰라고 할 수는 없었다.

차라리 차남이나 삼남이었으면 숨도 쉬지 않고 고개를 끄덕였을 것이다.

초일방은 그런 속내를 내비치면서 이 혼담을 거절하려 했고, 형문파 장문인은 초일방의 사정을 충분히 이해했다.

그러나 장백두는 이해하지 못했다.

"제가 초씨로 성을 바꾸면 왜 형문파의 차기 장문인이 될 수 없습니까? 어차피 저는 아버님의 장남인데 말입니다."

그 말에 뜨악해하지 않은 사람이 없었다.

부친 장자일은 천방지축 아들이 잘 알아듣게끔 설명했다. 그러나 장백두는 물러서지 않았다.

"제가 성씨를 바꾸는 게 더 중요합니까? 아니면 제가 금해가의 가주가 되고, 또 형문파의 장문인이 되어서 두

가문을 하나로 합쳐 강호제일문파(江湖第一門派)로 거듭나는 게 더 중요합니까?"

외려 장백두는 부친을 설득했다.

"지금 형문파는 구파일방 중 아주 낮은 서열에 위치하고 있습니다. 언제 공동파나 형산파(衡山派) 등과 자리바꿈을 할지 모르는 불안한 위치입니다."

부친 장자일은 아무런 말도 하지 못했다. 장백두의 말대로 아직 형문파는 언제 추락할지 모르는 여러 신흥 강호 중 하나에 불과했다.

장백두의 말은 계속해서 이어졌다.

"금해가는 비록 오대가문의 하나이기는 하지만 재력이 전부일 뿐, 무력은 다른 네 가문에 비해 현저하게 떨어집니다. 강호인들이 생각보다 금해가를 존경하지 않는 이유이기도 하죠. 하지만 금해가와 우리 형문파가 하나가 된다면 상황은 달라집니다."

금해가는 형문파라는 무력이 생기게 된다. 형문파는 더욱 세력을 확장할 수 있는 든든한 배경을 얻게 된다.

즉, 두 조직을 하나로만 합칠 수 있다면 소림사와 무당파를 몰아내고 구파일방의 으뜸이 될 수 있었으며, 오대가문의 수좌 노릇을 할 수도 있었다.

그야말로 상부상조할 수 있는 절호의 기회였다.

장백두가 거기까지 이야기를 하자 장자일은 입을 쩍 벌

렸다. 그저 천방지축이라고만 생각했던 아들이 언제 이렇게 원대한 계획을 생각했을까.

장자일은 결국 장백두의 설득에 넘어갔다. 그는 초일방을 만나 장백두가 이야기한 그대로 그를 설득했다.

초일방은 살짝 눈살을 찌푸렸다. 장백두의 원대한 야망과 계획이 나쁘지는 않아 보였지만 초일방이 원하는 건 또 아니었다. 초일방은 어디까지나 자신의 가문이 천하상권을 지배하기를 바랄 뿐이었다.

그래서 초일방은 말했다.

"금해가가 천하 상권을 지배할 방안을 이야기해 주면, 그 이야기에 내가 동의하게 되면 그때 장문인의 아들을 내 손녀사위로 맞이하겠소."

장자일은 다시 형문파로 돌아와 아들에게 그 결과를 이야기했고, 장백두는 초운혜와 함께 금해가로 돌아가 초일방을 설득하기로 했다.

그렇게 해서 지금 장백두와 초운혜가 이 객선을 타고 여행하게 된 것이다.

* * *

이틀 후.

제각각 서로 다른 사연을 가진 사람들을 태운 객선은

이윽고 형주(荊州)와 사시(沙市)를 지나 석수(石首)에 이르렀다.

이제부터 물길은 심하게 굽이져 객선은 심한 사행(蛇行)을 하며 동정호를 향해 나아가게 된다. 그리고 바로 이 구역이 수적들의 주 무대이기도 했다.

"걱정하지 마시오."

장백두는 늠름하게 말했다.

"이곳에는 내가 있고, 또 황 당주와 그의 동료들이 있소. 장강의 수적들이 아무리 대단하다 한들 반드시 우리가 그대를 지켜 줄 것이오."

황룡은 다시 한번 한숨을 내쉬었다. 굳이 하지 않아도 다 아는 이야기를 저렇게 당당하게 하는 장백두의 배짱이 대단해 보였다.

부끄러움이라든지 수치심 같은 건 그의 뇌리에 들어 있지 않은 게 분명했다.

초운혜는 우아하게 웃으며 말했다.

"그렇게 말씀해 주셔서 한결 마음이 놓이네요. 정말 고마워요, 장 오라버니."

"무슨 말씀을. 하하하!"

장백두는 가슴을 내밀며 호탕하게 웃었다. 갑판에 나와 있던 선객들이 다들 그를 돌아보았다.

황룡은 살짝 눈살을 찌푸렸다. 장백두가 사람들의 시선

을 끄는 건 별로 좋은 일이 아니었다. 그만큼 황룡이 경계해야 할 사람이 늘어나는 것이니.

'안 그래도 몇 명, 경계해야 할 것 같은 사람들이 있기는 하지.'

황룡은 삼남일녀 수하들에게 갑판 주위를 둘러보았다. 그의 눈에 한 명의 늙은이가 들어왔다. 조그만 체구를 지닌, 왠지 병약해 보이는 뒷모습의 노인이었다.

'하지만 저 외모와는 달리 노기인임이 틀림없어.'

황룡은 노인의 걸음걸이와 자세를 눈여겨보았다.

굽이진 물길을 따라 이동하는 배는 쉬지 않고 흔들렸다. 하지만 노인은 비틀거리지도 않고 새로 자세를 고쳐 잡으려고도 하지 않았다.

배가 기우는 방향으로 가볍게 무게 중심을 옮기는 것만으로 노인은 이 쉴 새 없이 흔들리는 배의 갑판에서 우뚝 서 있을 수 있었다.

황룡은 그것만으로도 노인의 무위가 어느 정도인지 익히 알 수 있었다.

'보법과 신법에 관한 한 최고의 경지에 오른 인물이리라. 애당초 보법과 신법의 기본이 바로 중심 잡기에 있으니까.'

배가 한쪽으로 크게 기울었다. 황룡은 살짝 발을 옆으로 움직여서 중심을 잡으며 생각했다.

'지금도 저 노인은 한 걸음도 움직이지 않았다. 마치 두 발이 갑판에 고정된 것 같구나.'

역시 경계해야 할 인물이었다.

그리고 주의해야 할 인물들이 더 있었다.

바로 지금 노인의 곁에 서 있는 두 명의 중년 사내들이었다.

2. 황룡(黃龍)

황룡은 이틀 전 밤의 일을 떠올렸다.

당시 그는 장백두로부터 전표를 받아 챙기고 선실로 돌아가던 참이었다. 문을 여는 순간 두 명의 중년 사내가 걸어 나왔고, 마침 지금처럼 객선이 크게 한쪽으로 기울었다.

황룡은 비틀거리며 얼른 발을 움직여서 중심을 잡고 다시 자세를 고쳐 잡았다. 반면 두 사내는 황룡이 비틀거리는 반대쪽으로 움직이며 중심을 잡았다.

그때만 하더라도 아무 생각 없이 지나쳤는데, 선실로 돌아와 침상에 눕고 생각해 보니 절대 그게 평범한 일이 아니었던 것이다.

당시 황룡은 저도 모르게 크게 소리칠 뻔했다.

'배가 기우는 쪽이 아닌, 순간적으로 반응해서 그 반대 쪽으로 발을 내디디며 중심을 잡는 건 실로 예사롭지 않은 움직임이다.'

이후 황룡은 일부러 그 두 명의 중년 사내처럼 배가 기우는 반대쪽으로 발을 움직이며 중심을 잡아 보려 했지만 결코 뜻대로 되지 않았다.

외려 더욱 중심이 잡히지 않아서 그대로 균형을 잃고 꼬꾸라질 뻔한 적도 있었다. 지금도 황룡은 배가 기우는 쪽으로 발을 내디디며 중심을 잡지 않았던가.

'정체를 알 수 없는 자들이다.'

황룡은 맞은편 난간 쪽에 서서 강물을 구경하고 있는 두 명의 중년 사내와 한 명의 노인을 유심히 바라보았다.

'이 객선에는 다른 무림인들도 여럿 있지만 이렇게까지 신비로운 자들은 오직 이들뿐이다. 대체 정체가 뭘까?'

그렇게 세 사람을 지켜보는 가운데, 황룡은 문득 이상한 사실을 깨달았다. 그들 세 명 중에서 턱수염이 진하게 난 중년 사내가 가끔씩 황룡 자신을 훔쳐보는 듯한 기분을 느꼈던 것이다.

그렇다고 서로 눈이 마주친 적은 한 번도 없었다. 하지만 곁눈질이든 뭐든 그 턱수염의 사내가 자신을 의식하고 있다는 건 확실했다.

'왜?'

황룡은 고개를 갸웃거렸다.

'내가 너무 그를 주시하고 있기 때문인가? 그래서 뭔가 언짢거나 불쾌해진 걸까? 그렇다면 내게 직접 와서 그렇게 빤히 쳐다보지 말라고 주의를 주는 게 일반적인 경우가 아닐까? 아무리 봐도 나보다 무위가 약해 보이지 않는데…… 음, 그것참 묘한 일이군.'

황룡이 턱을 쓰다듬으며 그런 생각을 할 때였다. 갑자기 장백두가 그를 불렀다.

"황 당주."

황룡은 퍼뜩 정신을 차리고 그에게로 다가갔다.

"부르셨습니까, 장 대협."

장백두는 웃으며 말했다.

"아까서부터 황 당주를 지켜보고 있었는데, 계속 저 사람들을 주시하고 계시더군요. 혹시 저들에게 뭔가 수상한 점이 있소이까?"

'음?'

황룡은 저도 모르게 움찔거렸다. 장백두가 자신을 지켜보고 있었다는 사실을 까마득하게 몰랐던 탓이었다.

그는 정중하게 말했다.

"별일 아닙니다. 그저 주변을 둘러보고 지켜보는 중입니다. 행여 특별한 점이 있으면 바로 말씀드리겠습니다."

"고맙소. 잘 부탁하오."

장백두는 고개를 끄덕이고는 다시 초운혜 곁으로 다가가 큰 소리로 떠들었다.

"슬슬 배가 고프지 않소? 이제 안으로 들어가서 객선 숙수가 특별히 준비한 오찬을 즐기는 건 어떻겠소?"

"그럴까요?"

초운혜는 장백두와 함께 선실로 향했다. 세 명의 사내와 한 명의 여인이 그들의 뒤를 따랐다. 황룡은 잠시 남아서 주변을 더 살피다가 선실로 들어갈 생각이었다.

그때 황룡이 유심히 살피던 중년 사내들과 노인이 발길을 돌렸다. 그들은 황룡이 서 있는 곁을 지나쳐 선실로 향했다.

황룡은 그들이 자신을 지나치는 순간, 갑작스레 투기를 끌어올리며 그들을 겁박했다.

하지만 반응을 보인 사람은 아무도 없었다. 그들 세 사람은 황룡의 투기를 전혀 느끼지 못한 듯 웃으며 대화를 나누면서 선실로 들어섰다.

'내가 착각한 걸까?'

황룡은 고개를 갸웃거렸다.

대저 무공이 일정한 수준의 경지에 오르게 되면 주변 사람들의 기세와 기척을 쉽게 알아차린다.

특히 자신에게 쏘아지는 강렬한 투기나 살기에는 즉각적으로 반응을 하게 되는 법이다. 그건 거의 무의식적인 행동이라서 일부러 반응을 감추거나 속이기가 어려웠다.

'좀 더 지켜보자.'

황룡은 그렇게 생각하며 선실로 들어섰다.

선실 문을 닫자마자 화군악이 짜증을 부렸다.

"아니, 뭘 그렇게 쳐다보는 거야? 하마터면 가서 한 대 팰 뻔했어."

"미안해."

장예추가 웃으며 사과했다.

"모두 나 때문이야. 괜히 신경 쓰이게 만들었네."

"아니, 너도 너다. 왜 자꾸만 놈에게 빌미를 주는데? 네가 아무런 반응을 하지 않으면 한동안 지켜보다가 다른 곳으로 시선을 돌릴 거 아냐? 그런데 네가 움찔거리고 자꾸 곁눈질로 확인하려고 하니까, 놈도 그걸 눈치채고 계속 바라보고 있잖아?"

"나도 그러고는 싶은데 생각보다 쉽지 않네. 워낙 오래간만에 만난 친구라서 그동안 어떻게 변했는지, 잘 지냈는지, 건강한지 확인해 보고 싶었거든."

"적이라며? 널 죽이겠다고 했다면서?"

"그건 그렇지만……."

"하여튼 답답하다니까. 이제부터는 아예 신경 딱 끊어. 왜 우리가 굳이 이렇게 답답한 변장을 하고 있는데? 동정호에 당도할 때까지 절대 놈에게 빌미를 주지 마. 알겠어?"

"흠. 그런데 너도 계속 그녀를 훔쳐보고 있었잖아?"

"응? 아, 그, 그거야……."

"너도 그녀가 어떻게 변했는지, 잘 지냈는지, 건강한지 확인해 보고 싶은 게 아냐?"

"뭐, 그야 그럴 수도……."

"그런 네가 내게 할 말은 아닌 것 같은데?"

"아니, 그래도 그 재수 없게 생긴 녀석처럼 나를 계속해서 쳐다보는 사람이 없잖아?"

"왜 없어?"

"응? 그건 또 무슨 소리야?"

"하아. 오직 그녀에게 신경을 쓰느라 미처 몰랐던 거야?"

장예추는 실망했다는 표정을 지으면서 고개를 설레설레 흔들며 말했다.

"왜 그 느끼한 사내 말이야. 너의 그녀 곁에 찰싹 달라붙어 있던."

"아, 그래. 정말 느끼한 자식이지. 그런데 왜?"

"그 녀석이 가끔씩 너를 돌아본 건 모르나 보지?"

장예추의 말에 화군악이 살짝 당황하는 기색으로 말했다.

"어? 알고 있었지, 그야. 당연하지."

"호오, 그래?"

장예추는 가늘게 눈을 뜨며 화군악을 노려보았다. 화군

악이 우물쭈물할 때, 유 노대가 입을 열었다.

"군악, 네가 졌다."

"지기는 또 누가……."

화군악이 머쓱한 표정을 지으며 말하다가 입을 다물었다. 유 노대도 표정이 변했다.

장예추가 힐끗 문 쪽을 바라보며 중얼거렸다.

"불청객이 오는군."

그의 말이 떨어지기가 무섭게 밖에서 낯선 목소리가 들려왔다.

"실례하겠습니다. 잠시 대화가 가능할까요?"

사내의 묵직한 중저음이었다. 장예추의 눈빛이 살짝 흔들렸다. 제법 세월이 흘렀음에도 불구하고 그의 목소리는 변하지 않았다.

'황룡…….'

유 노대가 헛기침을 하며 물었다.

"무슨 일이오?"

"이 몸은 태극천맹 의창지부에서 당주직을 맡고 있는 황룡이라고 합니다. 나쁜 저의가 있어서 찾아온 게 아니니 잠시 시간을 내주셨으면 합니다."

세 사람은 서로 눈짓을 교환했다. 장예추가 고개를 끄덕였다. 유 노대가 다시 입을 열었다.

"들어오시오. 문은 잠겨 있지 않으니."

문이 열리고 황룡이 들어섰다. 그는 세 사람을 바라보며 포권의 예를 갖췄다.

"이렇게 무례를 범하게 된 점 양해 부탁드립니다."

유 노대가 마주 손을 잡으며 말했다.

"무슨 일로 태극천맹의 황 당주께서 이름 없는 우리를 찾아오셨는지 궁금하구려."

"실은 모종의 일로 형문파 자제분과 금해가 소저를 모시는 중입니다."

이미 알고 있는 이야기였지만 세 사람 모두 가볍게 놀란 시늉을 했다.

황룡은 여전히 손을 모은 채 정중하게 말을 이어 나갔다.

"그 형문파 자제분께서 세 분을 오찬에 초대하고 싶다고 하셔서 이렇게 찾아왔습니다."

"오찬이요?"

이번에는 세 사람 모두 진짜로 놀라 서로를 돌아보았다. 황룡이 계속해서 말했다.

"역시 그분 또한 나쁜 뜻은 없습니다. 단지 선상에서 며칠 지내다 보니 마땅히 대화를 나눌 만한 사람이 없던 참에, 마침 갑판에서 우연히 세 분을 보고는 교분을 나누고 싶다고 말씀하셨습니다."

"헤에, 우리를요?"

화군악은 저도 모르게 평소의 말투를 사용하다가 문득

자신이 지금 사십 대 중년인으로 분장했다는 사실을 깨닫고 얼른 말투를 바꿨다.

"허험. 우리가 형문파 자제분과 금해가 아가씨와 식사를 할 정도로 대단한 인물들은 아니오만."

"대단하고 대단하지 않고가 중요한 건 아닙니다. 단지 대화를 나누고 싶어 하실 뿐이니까요. 부디 이 오찬 초대를 수락해 주시기 바랍니다."

황룡은 장예추를 바라보며 말을 맺었다.

장예추는 화군악과 유 노대를 돌아보며 거절의 의사를 표시하려 했다. 하지만 그보다 화군악의 입이 빨리 움직였다.

"좋소이다. 안 그래도 배가 고프던 참, 가서 맛있게 먹고 오면 되지 않겠소?"

황룡이 희미하게 웃으며 말했다.

"옳은 말씀이십니다. 그렇게 하시면 됩니다. 그럼 이쪽으로 모시겠습니다."

황룡이 몸을 돌려 선실을 빠져나갔다.

3. 언중유골(言中有骨)

'왜 수락했어? 막 거절하려던 참이었는데.'

장예추는 눈짓으로 투덜거렸다. 화군악은 어깨를 으쓱
거리며 입만 뻐끔거렸다.

'재미있을 것 같아서.'

아마도 그 말을 하는 모양이었다.

장예추는 주먹을 불끈 쥐었다. 앞서 걸어가는 황룡만
아니었더라면 화군악의 콧잔등을 때렸을 것이다.

황룡은 복도 안쪽의 선실 앞에서 걸음을 멈추고 말했
다.

"모셔 왔습니다, 장 대협."

"들어오시라고 하시죠."

장백두의 목소리가 들렸다.

"그럼 들어가시죠."

황룡이 문을 열며 말했다.

유 노대가 먼저 선실로 들어섰다. 그 뒤를 따라 장예추
와 화군악이 선실 안으로 들어갔다. 황룡이 밖에서 문을
닫았다. 그는 이 자리에 참석하지 않는 모양이었다.

선실 중앙의 탁자에는 무려 이십여 가지의 화려한 요리
들이 가득 놓여 있었다. 그리고 장백두와 초운혜가 막 자
리에서 일어나며 세 사람을 반겼다.

"어서들 오시지요."

장백두의 말에 세 사람은 자리를 찾아 앉았다. 장백두
와 초운혜도 자리에 앉았다.

화군악은 저도 모르게 초운혜의 옆얼굴을 힐끗거렸다. 여전히 콧등은 오뚝하고 턱선은 아름다웠다. 앵두처럼 붉게 도드라진 입술도 변함이 없었다.

"무례한 부탁을 들어주셔서 감사하오. 하하하!"

장백두는 호탕하게 웃었다. 유 노대도 따라 웃으며 말했다.

"괜히 수락했나 했는데 이렇게 와서 보니 잘 수락했다는 생각이 드는구려. 우리가 먹던 선상 식사와는 전혀 다른 요리들을 보니 더더욱 그런 생각이 드오."

"하하하! 이 요리들은 객선의 숙수들이 특별히 우리를 위해 준비한 것들이외다. 그러니 당연히 일반 선실 사람들은 구경할 수 없을 것이오."

그렇게 듣는 사람의 속을 긁는 이야기를 아무렇지 않게 말한 장백두는 문득 생각났다는 듯 다시 호탕하게 웃으며 말을 이었다.

"하하하! 이것 참, 정신이 없구려. 미처 소개가 늦었소이다. 이쪽은 금해가의 장중보주(掌中寶珠)인 초 소저, 그리고 이 몸은 형문파의 장백두라고 하오. 세상 사람들은 나를 두고 형문제일검이라 부르며 칭찬한다오. 거참, 쑥스럽게 말이오."

'허어.'

이렇게 아무 거리낌 없이 자화자찬을 하는 사람이 또

어디 있을까.

유 노대는 속으로 혀를 내두르며 중얼거렸다.

'이 아이, 어떤 면에서는 상당한 거물이로구나.'

그는 곧 속내를 감추고 미소를 지으며 말했다.

"그 유명한 형문파의 자제분과 금해가의 아가씨를 뵙게 되어 영광이외다. 이 늙은이는 그저 유 노대라고 불러주시면 되겠소."

장예추가 입을 열었다.

"보다시피 털이 많은 편이라 규염객(虯髥客)이라고 불리오. 성은 모(毛)씨요."

말을 마친 장예추가 화군악의 발을 밟았다. 화군악은 아차, 하면서 얼른 입을 열었다.

"손(孫) 모(某)라고 하오. 생긴 것이 원숭이를 닮아서 별명이 손행자(孫行者)라고 하오."

세 명의 소개가 끝났다. 장백두는 유쾌하게 웃으며 말했다.

"하하하! 마치 일부러 딱 그렇게 대충 지은 듯한 별호고 성씨로구려. 역시 사람을 만나서 대화를 나누는 건 참 재미있다니까."

역시 장백두도 괴짜였다.

그는 상대의 기분은 전혀 신경 쓰지 않은 채 자신이 생각한 바 그대로 입을 통해 말하고 있었다.

무림오적 32

"자, 그럼 다들 식사하면서 이야기를 나누기로 합시다. 조금 식기는 했지만 맛은 보장하리다."

장백두의 권유에 세 사람은 젓가락을 들었다.

아닌 게 아니라 확실히 음식은 맛이 있었다. 특히 닭고기 요리인 동안계(東安鷄)와 자라찜, 그리고 양귀비가 즐겨 먹었다는 닭과 표고버섯을 조려 만든 귀비계시(貴妃鷄翅)는 정말 일품요리였다.

사람들은 식사를 하면서 이것저것 이야기를 나눴다. 강호 이야기, 사람 사는 이야기, 세상 돌아가는 이야기. 그야말로 온갖 쓸데없는 이야기를 나누면서 그들은 식사를 마쳤다.

유 노대가 차를 마시다가 깜짝 놀라며 찻잔을 들여다보았다.

"호오, 이건……."

은침차(銀針茶)였다.

동정호(洞庭湖) 군산(君山)에서 일 년 중 청명절 전후 칠일 정도만 잎을 딸 수 있는 귀한 차였다. 수확량이 너무 적어서 각 다관에서는 몇 년째 예약하고 대기하는 손님들도 많다는 명차였다.

"호오, 군산은침(君山銀針)이라…… 이렇게 귀한 차를 마시게 되다니."

유 노대는 진심으로 감탄했다. 장백두가 그런 유 노대

를 지그시 바라보며 입을 열었다.

"차에도 조예가 깊으신 모양이오?"

"응? 아, 친구 중에 차를 좋아하는 이가 있어서 귀동냥을 조금 했소이다. 일개 시골 촌노가 아는 게 뭐 있겠소?"

"하하하, 그렇소?"

그렇게 웃던 장백두는 사람들을 둘러보며 물었다.

"다들 맛있게 드셨소?"

사람들은 고개를 끄덕였다. 장백두는 여전히 미소를 지은 채 말했다.

"나도 맛있게 먹었소. 하지만 매우 형편없는 오찬이었소. 이렇게 재미없고 지루하며 넌더리 나는 오찬은 맹세코 처음이었소."

워낙 웃는 낯으로 말하는 바람에 화군악들은 그가 농담하는 줄 알았다. 그러나 장백두는 진심으로 그렇게 말하고 있었다.

"원래 대화란 서로의 모든 것을 다 터놓고 나눠야 제대로 된 이야기를 할 수 있는 법이오. 하지만 오늘의 오찬은 그렇지 않았소. 다들 신분을 속이고 정체를 감추는 데 급급하느라 이 훌륭한 요리는 제대로 맛도 보지 못했을 것이오."

장백두는 탁자 위의 요리들을 가리키며 말했다.

"양귀비가 울고 갈 정도로 맛있는 귀비계시가 이렇게

나 많이 남았소. 입에 넣는 순간 녹아 버려 뼈만 남아야 할 돼지 갈비찜이거늘, 아직도 고기가 이만큼이나 쌓여 있소. 다들 제대로 맛을 음미하면서 식사를 했던 것이오? 아니면 다른 생각을 하면서 누군가의 눈치를 보고 표정을 살피면서 먹었던 건 아니오?"

화군악이 움찔거렸다. 마치 자신을 향해 쏟아지는 비난의 목소리처럼 들렸던 게다.

장백두는 여전히 웃는 낯으로 말을 이었다.

"오늘의 오찬은 완전 실패요. 이렇게 참담한 실패는 이년 전 남궁세가 사람들과의 오찬 이후 처음이오. 어쨌든 세 분에 대해서는 잘 알게 되었으니, 그나마 다행이라고 생각하오. 자, 이것으로 오찬은 끝내기로 합시다. 하하하!"

장백두는 여전히 호쾌하게 웃었다.

장예추는 머쓱한 얼굴로 유 노대와 화군악을 돌아보며 자리에서 일어나려고 했다.

하지만 화군악은 자리에서 일어나지 않았다. 대신 매서운 눈빛으로 장백두를 쏘아보며 이렇게 말했다.

"우리에 대해서 잘 알게 되었다고 하셨는데 뭘 알게 되었는지 궁금하구려."

"하하하! 내가 그걸 가르쳐 줄 이유라도 있소?"

"우리가 아무 조건 없이 귀하의 오찬을 수락한 것처럼, 귀하 또한 내 의문을 아무 조건 없이 풀어 줄 수도 있다고 생각하오만."

"하하하! 오늘 오찬 중에서 처음으로 귀담아들을 만한 말씀을 하셨구려."

장백두는 껄껄 웃으며 진심으로 기뻐했다. 장예추는 조금 질린 듯한 눈빛으로 그를 쳐다보았다.

'이 녀석 반쯤 미친 것 같은데?'

하지만 장예추는 그가 미친 사람이 아니라는 걸 잘 알고 있었다. 지금껏 그가 했던 말 한마디 한마디에는 듣는 이들의 폐부를 찌르는 뼈가 담겨 있었다.

언중유골(言中有骨).

그렇게 장예추와 화군악과 유 노대를 식은땀 흘리게 만드는 자가 반쯤 미쳐 있을 리가 없었다.

"좋소, 말씀해 드리리다."

장예추가 그런 생각을 하고 있을 때 장백두는 화군악을 바라보며 입을 열었다.

"우선 손 대협…… 아, 대협이라고 하기에는 좀 그럴까? 아무래도 나보다는 나이가 어려 보이니 말이오. 손소협이라고 하는 게 나을 것 같소. 그렇지 않소이까?"

장백두는 화군악의 대답을 기다리지 않고 싱긋 웃으며 말을 이었다.

"이게 첫 번째, 내가 알아낸 당신들의 정체요."

장예추와 화군악의 목젖이 희미하게 꿈틀거렸다. 식은

땀이 등골에 맺혔다.

어떻게 그 사실을 알아냈을까. 설마 이 화장술과 변용술이 들통난 것일까.

"그리고 두 번째로 알아낸 건 말이오."

장백두가 입을 열 때였다.

갑자기 갑판 위가 소란스러워졌다. 동시에 긴급 상황임을 알리는 신호가 객선 전체에 울려 퍼졌다. 선부들이 바쁘게 뛰어다니며 소리쳤다.

"선실 밖으로 나오지 마십시오!"

"다들 안에서 차분히 기다리시면 됩니다!"

일순 장백두가 눈빛을 반짝이며 손뼉을 쳤다.

"드디어 기다리던 자들이 왔구려!"

그는 초운혜를 돌아보며 한없이 부드럽고 다정하며 결연한 목소리로 말했다.

"수적들이 온 모양이오. 하지만 그대는 걱정하지 마시오. 내가 목숨을 걸고 지켜 드릴 테니까 말이오."

장예추와 화군악은 저도 모르게 서로를 돌아보았다. 조금 전의 생각은 아무래도 취소를 해야 할 모양이었다.

이 녀석, 진짜 반은 미친 것 같았다.

(무림오적 33권에서 계속)

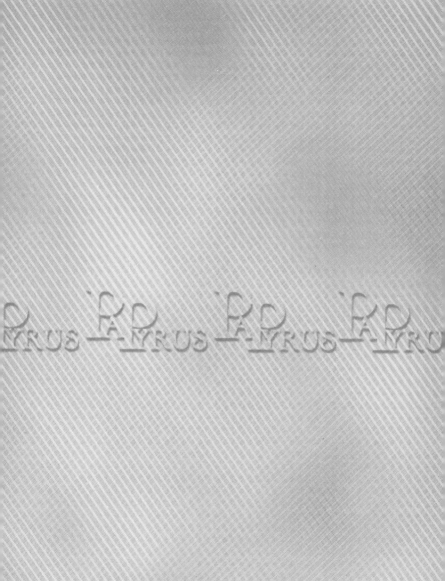